Reading & Interpretation

大家写小书·马恩经典著作新读

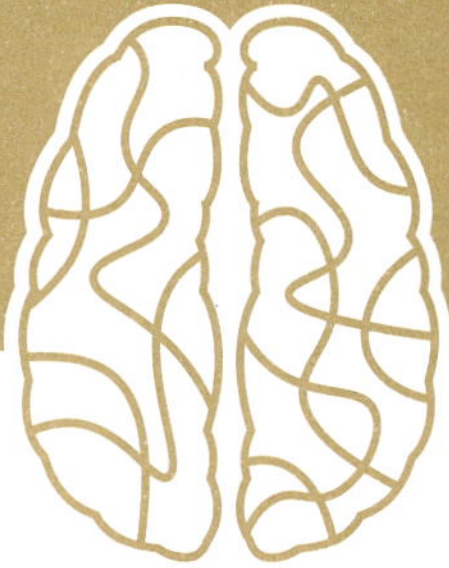

丛书主编 顾保国

科学社会主义的入门

《社会主义从空想到科学的发展》新读

徐蓉 著

红旗出版社

红旗出版社
HONGQI PRESS
推动进步的力量

图书在版编目(CIP)数据

科学社会主义的入门：《社会主义从空想到科学的发展》新读 / 徐蓉著. —北京：红旗出版社，2020.3(2021.4重印)
(大家写小书 / 顾保国主编. 马恩经典著作新读)
ISBN 978-7-5051-5016-4

Ⅰ.①科… Ⅱ.①徐… Ⅲ.①《社会主义从空想到科学的发展》—恩格斯著作研究 Ⅳ.①A811.24

中国版本图书馆CIP数据核字(2019)第253029号

书　　名　科学社会主义的入门
　　　　　《社会主义从空想到科学的发展》新读
著　　者　徐　蓉

责任编辑　丁　鋆　曾晓蓉　　从书统筹　丁　鋆
责任印务　金　硕　　特约编审　希　言
装帧设计　戴　影
出版发行　红旗出版社
地　　址　北京市沙滩北街2号　　邮政编码　100727
　　　　　杭州市体育场路178号　　邮政编码　310039
编 辑 部　0571-85310806
E-mail　rucdj@163.com　　发 行 部　0571-85311330
图文排版　杭州兴邦电子印务有限公司
印　　刷　浙江全能工艺美术印刷有限公司
开　　本　889毫米×1194毫米　1/32
字　　数　64千字　　印　　张　3
版　　次　2020年4月第1版　　印　　次　2021年4月第3次印刷
ISBN 978-7-5051-5016-4　　定　　价　20.00元

欢迎品牌畅销图书项目合作　　联系电话:0571-85311330

从经典著作中汲取斗争智慧

（丛书序）

习近平总书记在2019年秋季学期中央党校（国家行政学院）中青年干部培训班开班式上发表重要讲话时指出，“斗争精神、斗争本领，不是与生俱来的。领导干部要经受严格的思想淬炼、政治历练、实践锻炼，在复杂严峻的斗争中经风雨、见世面、壮筋骨，真正锻炼成为烈火真金。要学懂弄通做实党的创新理论，掌握马克思主义立场观点方法，夯实敢于斗争、善于斗争的思想根基，理论上清醒，政治上才能坚定，斗争起来才有底气、才有力量”。

经典著作体现了马克思主义立场观点方法，不仅包含着明确的问题意识、经典的分析方法，而且包含着斗争精神。这种斗争精神既体现了事物本身的复杂性，也体现了人类智慧的深刻性。虽然马克思主义诞生在一个半世纪之前，但迄今依然有着强大的生命力，被历史和现实一再证明是科学的理论，这其中一个重要原因就在于其科学的理论思维和强大的斗争精神。马克思主义经典著作是经典作家探索真理的丰富思想结晶，彰显了马克思主义经典作家坚定的政治立场、政治信仰和献身共产主义事业的政治品格和伟大的斗争精神。习近平总书记在纪念马克思诞辰200周年大会上的讲话中指出：“共产党人要把读马克思主义经典、悟马克思主义原理当作一种生活习惯、当作一种精神追求，用经典涵养正气、淬炼思想、升华境界、指导实践。”这就要求我们，提高学习马克思主义理论的能力，学思践悟，做马克思主义的信奉者、继承者、实践者和发展者。当严峻形势和斗争任务摆在面前时，骨头要硬，要敢于出击，敢战能胜。

近年来，马克思主义经典阅读热潮悄然兴起，再次凸显马克思主义经典著作编译的重要意义和时代价值。习近平总书记在中央政治局第五次集体学习时指出：“要深化经典著作研究阐释，推进经典著作宣传普及，让理论为亿万人民所了解所接受，画出最大的思想同心圆。”准确理解习近平总书记这一重要论述，需要我们深刻把握研究、阐释经典著作的时代要求，进一步加强经典著作宣传普及，使广大人民群众更深刻地感悟马克思主义的真理力量和斗争精神。

恩格斯曾说：“一个民族要想站在科学的最高峰，就一刻也不能没有理论思维。”理论思维能力不是天生的，而是后天培养和训练出来的。马克思主义经典著作是人类思想的精华，它深刻揭示了自然界、人类社会、人类思维发展的普遍规律。习近平总书记在2011年中央党校春季学期第二批入学学员开学典礼上强调，“阅读经典著作，本身就是增长知识、开阔眼界、增加思想深度和训练思维方式的过程，就是培养高瞻远瞩的战略洞察力和脚踏实地的工作作风的过程”。广大党员干部要提高斗争能力，必须高度重视通过学习马克思主义经典著作来提高自己的理论思维能力。

当今世界正处于百年未有之大变局，我们党领导的伟大斗争、伟大工程、伟大事业、伟大梦想正在如火如荼地进行，改革发展稳定任务艰巨繁重，我们面临着难得的历史机遇，也面临着一系列重大风险考验。各级领导干部要想在这些风险、困难和挑战面前赢得优势、赢得主动、赢得未来，就必须坚定马克思主义信仰和共产主义理想，不断提高运用马克思主义分析和解决实际问题的能力，不断提高运用科学理论指导我们应对重大挑战、抵御重大风险、克服重大阻力、化解重大矛盾、解决重大问题的能力，以更宽广的视野、更长远的眼光来思考把握未来发展面临的一系列重大问题，这就迫切要求领导干部自觉增强学习和运用马克思主义的本领，掌握马克思主义的斗争精神。广大党员干部特别是领导干部要学好用好《共产党宣言》等马克思主义经典著作，坚持学以致用、用以促学，原原本本学，熟读精思、学深悟透，熟练掌握马克思主义立场观点方法，不断提高马克思主义理论素养。因此，我们要系统掌握和努力实践马克思主义理论，真正把马克思主义这个看家本领学精悟透运用好，提升自己的斗争能力，并推动马克思主义不断发展。

提高把思想理论转化为实践的斗争能力，画出最大的思想同心圆，是坚持和发展马克思主义的现实要求，也是实现中华民族伟大复兴这一中国梦的思想基础。马克思主义经典著作卷帙浩繁，对于广大干部、群众来说，学习要突出重点。我们提倡读马列经典著作，并不是一定要求每位干部去全面读《马克思恩格斯全集》《列宁全集》或《马克思恩格斯文集》《列宁专题文集》。学马列要精，要管用。“精”，是指要读经典著作，经典篇目；“管用”，就是要结合具体、实际工作，有针对性、有目的地学以致用。例如，从总体上把握马克思主义，需要读

《马克思主义的三个来源和三个组成部分》；掌握无产阶级的革命理论，要读《共产党宣言》；了解马克思主义哲学世界观，要读《哲学笔记》《唯物主义和经验批判主义》《反杜林论》《路德维希·费尔巴哈和德国古典哲学的终结》；掌握马克思主义政治经济学，要读《政治经济学批判》《资本论》等。因此，我们第一辑选择了十本原著，组织国内有关院校的权威专家撰写导读，并由红旗出版社公开出版这批学习马克思主义经典著作的权威性辅导教材。

马克思主义是认识世界、改造世界的强大思想武器。在人类思想史上，没有一种思想理论像马克思主义那样对人类产生了如此广泛而深远的影响。原原本本学习和研读马克思主义经典著作，不断深化对共产党执政规律、社会主义建设规律、人类社会发展规律的认识，不断提升思想水平和斗争能力，真正把马克思主义这个看家本领学精悟透运用好，我们就能更有定力、更有自信、更有智慧，在习近平新时代中国特色社会主义思想指导下，实现“两个一百年”奋斗目标，确保中华民族伟大复兴的巨轮始终沿着正确航向破浪前行，胜利驶向光辉的彼岸。

红旗文稿杂志社社长 顾保国

2019年11月

目　录

前 言

《社会主义从空想到科学的发展》(简称《发展》)由恩格斯所著的《反杜林论》中最重要的三个章节摘编改写而成,是恩格斯在批判各种错误思潮中形成的理论斗争成果,在马克思主义发展史上具有重要地位。在马克思写的1880年法文版前言中,称它是《反杜林论》的“理论部分中最重要的部分”[①],是“科学社会主义的入门”[②],也可以看作是了解和学习马克思主义的入门之作。

《发展》由前言/序言/导言(四篇),正文(三个章节)和附录组成。前言部分主要是帮助读者理解该书的写作背景与理论实质。正文的第一部分阐述了科学社会主义的思想来源,即19世纪空想社会主义的产生、发展及其局限性,恩格斯在肯定其积极的思想成果的同时批判其中的空想成分,强调要摆脱唯心史观并置于现实基础之上,社会主义才能变成科学。第二部分阐述了辩证法的产生和发展,批判了唯心主义和形而上学,强调辩证唯物主义的创立是人类认识史上的伟大变革。唯物史观和剩余价值理论的发现使社会主义从空想变为科学,构成了科学社会主义的理论基础。第三部分运用唯物史观的基本原理,阐述了科学社会主义的社会经济根源,分析

①《马克思恩格斯选集》第3卷,北京:人民出版社,2012年,第743页。
② 同①。

了资本主义基本矛盾，揭示了资本主义必然灭亡和社会主义必然胜利的客观规律以及无产阶级解放世界的历史使命，阐明了科学社会主义的现实性。

社会主义经过了从空想到科学、从理论到实践的发展，正如中华民族经历了多年的曲折奋斗，将马克思主义与中国实践相结合，才有了中国特色社会主义的光辉发展，可以说《发展》是为了深刻把握中国特色社会主义必须阅读的马克思主义经典著作。阅读经典更是为了启迪新知，开创新的局面。重温《发展》，了解这本科学社会主义入门书籍的显著特征，学习其中的有关科学社会主义的理论逻辑，就是为了在习近平新时代中国特色社会主义思想的指导下开启马克思主义中国化的新篇章，推动中国特色社会主义事业取得更大成就。

第 一 章
恩格斯生平简介

弗里德里希·恩格斯(Friedrich Engels),德国伟大的思想家、宣传家、理论家、教育家、新闻活动家,马克思主义创始人之一,国际无产阶级和劳动人民的伟大导师和领袖。他是卡尔·马克思最亲密的战友,和马克思共同撰写了《共产党宣言》,共同创立了科学共产主义理论,参加了第一国际的领导工作。他精通十几国语言,利用自己生命中最后的十年整理了马克思留下来的大量手稿、遗作。

一、少年时期:家庭背景殷实,被迫辍学从商

少年时期的恩格斯家境优越,天资聪慧,由于深受家庭成员的影响,后在其父的坚持下辍学经商。

1820年11月28日,恩格斯诞生于德国普鲁士邦莱茵省巴门市(今德国伍珀塔尔市)的名门望族,家族在作为纺织业核心城市的家乡和英国曼彻斯特创办了欧门—恩格斯纺纱厂。他的父亲是一个精明强干的商人、虔诚的基督教徒,起初在恩格斯祖父的工厂中主持业务,1837年开始独立经营,走访世界各地。母亲出生于荷兰的知识分子家庭,是一位心地善良、开朗乐观、爱好文学及音乐的女性,育有四男四女,其中恩格斯是长子,她对恩格斯的思想成长有很深的影响。外祖父是一位语言学家,曾任当地哈姆中学校长,除辅导作业外,还常向恩格斯讲述古希腊神话和德国民间英雄故事,因此,恩格斯和外祖父建立了深厚的情谊。

少年恩格斯热爱自然科学,自1829年在巴门市立学校学习物理和化学等基础课程,1834—1837年就读于普鲁士最好的中学爱北斐特中学,他学习刻苦,兴趣广泛,在老师的指导

下打下了扎实的理论基础。在中学毕业的前一年，父亲决定将头脑灵活的恩格斯培养成为他的继承人，于是，17岁的恩格斯只能选择以肄业的方式结束自己的学生时代。

二、青年时期：接触进步思想，走向唯物主义

在与马克思共同创立科学社会主义学说的过程中，恩格斯逐步从唯心主义者转变为唯物主义者，从革命民主主义者转变为共产主义者。

为了使恩格斯在商界的贸易经验更丰富，1838年7月至1841年3月，父亲派他到德国四座自由城市之一的不来梅进行商行实习。恩格斯利用业余时间密切关注德国文学的创作实况，研读自由主义思想的书籍和报刊资料。1839年春天，他以“弗里德里希·奥斯渥特”为笔名，在《德意志电讯》《不来梅杂谈》等报刊上发表了多篇文章。其中，《乌培河谷来信》深刻揭露了爱北斐特和巴门的统治阶级恣意掠夺广大人民劳动成果以及宗教虔诚主义道德观的伪善。

1841—1842年，恩格斯在德国柏林服兵役期间经常到柏林大学听课，通过参加青年黑格尔派的活动，他对黑格尔包罗万象的哲学体系产生浓厚兴趣，并匿名发表了《谢林论黑格尔》《谢林与启示》《谢林——基督哲学家》等文章，对德国哲学家弗里德里希·谢林做了尖锐的批判。同时，在路德维希·费尔巴哈的《基督教的本质》(该书通过大量事实证明，自然界是物质的世界，不依赖于任何哲学而独立存在)的影响下，恩格斯开始转向唯物主义。德国神学家大卫·弗里德里希·施特劳斯的《耶稣传》则帮助恩格斯冲破宗教迷信的精神束缚，引导

他转向无神论。

列宁曾写道:“恩格斯到英国后才成为社会主义者。”[①]这是恩格斯在思想上的转折点。1842年11月中旬,恩格斯在赴英途中,与《莱茵报》主编马克思进行了第一次“非常冷淡”的会面。恩格斯与马克思初次相识时,两人会面时间较短,彼此不了解,因此没有留下多少印象,但这并未妨碍两人由于共同的志向和理论旨趣最终走到一起。1844年2月,恩格斯在马克思主编的德文刊物《德法年鉴》上发表《国民经济学批判大纲》和《英国状况:评托马斯·卡莱尔的〈过去和现在〉》,从社会主义的视角评判资本主义经济制度,明确无产阶级的历史使命。

1844年8月底,恩格斯从英国回国,途经巴黎时与马克思第二次会面,两人达成共识,决定为国际无产阶级解放事业共同奋斗。同年9—11月,他们合著了《神圣家族》,着重批判青年黑格尔派的唯心主义哲学,论述世界的物质性以及思维和存在的关系,阐明人民群众是历史的创造者。1845年,恩格斯移居比利时布鲁塞尔,与马克思共同从事革命活动。1844年9月—1845年3月,撰写了《英国工人阶级状况》。1845年秋—1846年5月,恩格斯和马克思合写了《德意志意识形态》。1847年,在巴黎和伦敦参加共产主义者同盟的活动。1847年12月—1848年1月,与马克思共同起草《共产党宣言》。1848年2月,《共产党宣言》的发表标志着马克思主义的诞生。1848年3月德国革命爆发后,恩格斯在南德意志参加柏林三月革命(德国1848年革命),展现出卓越的军事才能。随后,他与马克

---

①《列宁全集》第2卷,北京:人民出版社,2017年,第7页。

思在伦敦会面，开始投入到共产主义者同盟中央委员会的工作中。

三、中年时期：潜心学术创作，投身解放事业

中年恩格斯与马克思通力合作，共同创立了马克思主义理论。

1850—1852年，为总结1848年革命的经验，恩格斯撰写了《德国维护帝国宪法的运动》《德国农民战争》《德国的革命和反革命》，与马克思合写了《共产主义者同盟中央委员会告同盟书》。1851—1862年，恩格斯一直在《纽约每日论坛报》和其他报刊上发表文章。

为了从经济上帮助马克思，1850年11月，恩格斯重返曼彻斯特，在欧门—恩格斯公司继续工作，直到1869年才离开公司，此后全力以赴投身于无产阶级的解放事业。1870年9月，恩格斯重返伦敦，住在马克思家附近。同年10月，当选为第一国际总委员会委员。1871年3月，巴黎公社建立后，恩格斯在公开演说和信件中高度评价巴黎工人的革命首创精神和英雄气概。1871—1873年，恩格斯将马克思的著作《法兰西内战》译成德文，并撰写了《论权威》。1873—1882年，恩格斯持续撰写《自然辩证法》，阐明了他对世界和人类社会繁衍和发展的观点态度，但最终尚未写完。

1876年9月—1878年6月，恩格斯撰写了《反杜林论》，系统解释了马克思主义哲学、政治经济学和科学社会主义的基本原理，利用辩证唯物主义反对德国折中主义哲学家卡尔·欧根·杜林的错误观点。1880年，应国际工人运动活动家、马克

恩女婿保尔·拉法格的要求，恩格斯将《反杜林论》中的理论核心部分提炼出来，改编为《社会主义从空想到科学的发展》出版。

知识链接

★ 马克思的女婿——保尔·拉法格 ★

法国工人运动活动家保尔·拉法格是马克思和恩格斯的学生，并与他们一直保持着良好的革命友谊关系。经恩格斯介绍，拉法格与马克思的二女儿劳拉相识，并对她产生爱慕之情。拉法格积极接受马克思的忠告，对劳拉“采取含蓄、谦恭甚至羞涩的态度”，“保持一段距离来谈爱情”，经过长期的考验，两人的爱情日臻成熟，终于结为夫妻。此后，不管命运把他们推向哪里，两人都在相互扶持中前进。

在革命斗争方面，青年时代的拉法格受到资产阶级民主主义思想和蒲鲁东主义的影响，积极投身工人运动。后来，拉法格在工人运动实践和马克思主义教育熏陶的双重影响下，逐渐从革命民主主义者转变为共产主义者，勇担革命使命，成为法国工人党和第二国际的创始人之一。拉法格在担任革命实践领导者的同时，也是这一时期法国最有独到见解的马克思主义理论家和宣传家，写了大量精辟的短论和论战性文章，发表了一些论著如《唯心史观与唯物史观》等。恩格斯曾赞誉他为“巴黎这个光明之城的一盏明灯”。

四、晚年时期：整理手稿遗作，缅怀终身挚友

晚年恩格斯利用人生中最后的十几年，继续领导国际工

人运动，坚持和发展马克思主义。

1883年3月马克思逝世以后，恩格斯担负起马克思生前未完成的事业，整理和出版马克思的遗稿，经过多年的整理、增补、编纂，出版了《资本论》第二、三卷。

1884年，撰写《家庭、私有制和国家的起源》，用唯物史观分析原始公社制度的解体和私有制社会的形成过程，阐明国家的起源和实质。

1886年，撰写《路德维希·费尔巴哈和德国古典哲学的终结》，提出区分唯心主义和唯物主义的科学标准，并说明马克思主义哲学同德国古典哲学的联系和区别，系统地批判了黑格尔哲学和费尔巴哈哲学。

1889年，参加在巴黎召开的国际社会主义工人代表大会的筹备工作。这次大会的召开标志着第二国际的成立。

1891年初，公开发表马克思的《哥达纲领批判》；3月，为迎接巴黎公社20周年，再版马克思的《法兰西内战》，并撰写导言；6月，撰写《爱尔福特纲领草案批判》，批判了右倾机会主义思潮。

1893年，担任第二国际第三次（苏黎世）大会名誉主席。

1894年，撰写《法德农民问题》，强调农民问题的重要性。

1895年8月5日，在伦敦病逝。

延伸阅读

（1）中共中央党校哲学教研部组织编写：《十五部马恩经典著作导读》，北京：人民出版社，2018年。

（2）陈培永：《当代中国马克思主义为什么是对的》，北京：人民出版社，2018年。

（3）何爱平、宋宇、张志敏：《比较视野下对当代中国马克思主义政治经济学研究的新探索》，北京：人民出版社，2018年。

（4）许全兴：《马克思主义的自我反思与创新》，北京：人民出版社，2019年。

深度思考

（1）结合恩格斯的生平履历，从不同维度出发总结他一生中重要的转折时期。

（2）恩格斯的经历对科学社会主义的诞生有何影响？

Reading & Interpretation
大家写小书·马恩经典著作新读

第 二 章
内容介绍

《社会主义从空想到科学的发展》是恩格斯《反杜林论》中有关社会主义的内容，《反杜林论》原以“欧根·杜林先生在科学中实行的变革”为题发表于德国社会民主党的中央机关报《前进报》上。1880年出版法文版单行本时书名为《空想社会主义和科学社会主义》，1882年之后出版的版本都为当前的书名。

16—19世纪空想社会主义的产生和发展，为科学社会主义提供了思想来源，恩格斯既肯定其积极的思想成果，也批判其中空想的成分，强调要摆脱唯心史观并置于现实基础之上，社会主义才能变成科学。同时，恩格斯阐述了辩证法的产生和发展，批判了形而上学和唯心主义，强调辩证唯物主义的创立是人类认识史上的伟大变革。唯物史观和剩余价值理论的发现使社会主义从空想变为科学，构成了科学社会主义的理论基础。尤其是通过唯物史观的基本原理，阐述了科学社会主义的经济根源即资本主义的基本矛盾，分析了无产阶级解放世界的历史使命，揭示了资本主义必然灭亡和社会主义必然胜利的客观规律。

一、不同版本的前言、序言及导言解读

本节主要解读《发展》1880年法文版前言、1882年德文第一版序言、1891年德文第四版序言、1892年英文版导言，并将这四篇文章的背景知识和内容进行系统梳理和概括。

（一）入门之作——1880年法文版前言解读

法文版前言由马克思于1880年撰写，主要阐述了《发展》的成书背景以及恩格斯在社会主义发展中的理论研究和

实践。

1.《发展》成书背景

1879年10月，在马赛召开了法国工人社会主义者代表大会，通过了成立法国工人党的决议。一方面，马克思、恩格斯应法国工人党（后合并为法国社会党）创始人之一茹尔·盖得的请求，为其拟定法国工人党党纲；另一方面，为了在法国政党中传播科学社会主义，拉法格请求恩格斯撰写一本宣传科学社会主义的读物，以此帮助法国工人党掌握科学社会主义，并同流行于法国工人运动中的小资产阶级社会主义思潮作斗争。在此之前，恩格斯曾在1876—1878年为《前进报》撰写《欧根·杜林先生在科学中实行的变革》，后来被印刷成书即《反杜林论》，这部论战性著作全面且系统地批判了柏林大学讲师杜林对马克思主义的恶意解读和篡改，在德国社会主义者领域取得巨大的成功。在《反杜林论》中，恩格斯首次搭建了马克思主义的三大结构框架——哲学、政治经济学、科学社会主义，该书被认为是马克思主义理论的经典阅读书目。《发展》是恩格斯将《反杜林论》中引论的第一章与第三篇的第一、二章进行改写和补充而成的独立著作，由拉法格翻译成法文，经恩格斯最后审稿和校订，在巴黎公开出版了单行本《空想社会主义和科学社会主义》。

2. 马克思对恩格斯及《发展》的评价

1844年2月，恩格斯在《德法年鉴》上发表《国民经济学批判大纲》，清晰地表述了科学社会主义的一般性原则，在学界崭露头角。1844年9月—1845年3月，用德文撰写了《英国工人阶级状况》，为马克思的《资本论》提供佐证。1848年在法国二月革命前，马克思和恩格斯出版了两人共同起草的《共产党宣言》，《宣言》后来几乎被翻译成欧洲的各国语言。1848年4月，马克思和恩格斯在德国科隆积极筹办《新莱茵报》，将它作为指导革命运动的思想阵地。在旅居布鲁塞尔期间，马克思、恩格斯同德国小资产阶级民主主义者阿达尔贝特·伯恩施太德共同创立了《德意志—布鲁塞尔报》。同时，恩格斯还为社会主义运动的正式机关报《北极星报》、空想社会主义者罗伯特·欧文创办的《新道德世界》报以及《政治经济评论》《人民国家报》《前进报》撰稿，公开出版了《德国农民战争》《论俄国的社会问题》《德意志帝国国会中的普鲁士烧酒》《论住宅问题》《行动中的巴枯宁主义者》等小册子。马克思称赞恩格斯为世界最杰出的社会主义代表人物之一。

《发展》是一部阐述科学社会主义的思想来源、理论基础和核心原理的重要著作。马克思在法文版前言的最后，高度评价该书为“科学社会主义的入门”[1]，为无产阶级解放事业贡献了不可估计的力量。

（二）群众宣传——1882年德文第一版序言解读

德文第一版序言由恩格斯于1882年撰写，主要阐述了这一版本的出版缘由和内容修订。

1. 德文第一版的出版情况

由于1880年法文版单行本收获了意外的成功，德国社会民主党内意识到出版新的宣传手册的必要性和历史趋向性，因此该党的《社会民主党人报》编辑部联系到恩格斯，希

① 《马克思恩格斯选集》第3卷，北京：人民出版社，2012年，第743页。

望可以引入《空想社会主义和科学社会主义》。

恩格斯考虑到纯学术的著作直接应用于群众宣传的可行性问题，在形式和内容两方面做了修订。

在形式上，恩格斯着重考虑了外来语的应用问题。全德工人联合会创始人斐迪南·拉萨尔在他的宣传性文章中已经对其使用的外来语尝试不加修饰和解释，且广大人民群众并没有表现出排斥，所以恩格斯只是删去一些不必要的外来语，而保留了那些不可或缺、在报纸上经常出现的为人们所熟知的外来语。其中，这些保留下来的外来语大部分是通用的科学技术用语。

在内容上，《发展》一书对德国工人来说阅读难度不大。恩格斯考虑到某一类"有教养的"读者[①]对社会主义的巨大误读，在文章第三部分有关工人的一般生活条件的内容中加了很多说明。

2. 科学社会主义和德国古典哲学的关系

"科学社会主义本质上就是德国的产物，而且也只能产生在古典哲学还生气勃勃地保存着自觉的辩证法传统的国家，即在德国。"[②]恩格斯认为，科学社会主义的产生需要依靠思想文化条件和社会物质基础。一方面，科学社会主义的产生必须有德国古典哲学中辩证法的基础，而在辩证法由最初朴素的、原始的辩证法到近代的形而上学思维方式的发展过程中，黑格尔的辩证法在德国古典哲学中享有最高的地位；另一方

① "有教养的"读者，这里恩格斯指的是一些人被不可遏制的欲望所驱使，总是一再确凿无误地表明他们的惊人的无知，并对社会主义存在巨大的误解。

②《马克思恩格斯选集》第3卷，北京：人民出版社，2012年，第746页。

面，必须用唯物史观替代唯心史观，因为唯物史观是建立在资产阶级和无产阶级之间的阶级斗争中和资本主义经济关系及其基本矛盾的基础之上的，只有借助辩证法才能实现辩证唯物主义的自然观和历史观的创立。总之，马克思创立的学派反对德国资产阶级学者坚持的“折中主义”立场，不仅引用现代自然科学来论证辩证法的存在，更批判继承了空想社会主义与德国古典哲学。恩格斯坦言：“德国社会主义者却以我们不仅继承了圣西门、傅立叶和欧文，而且继承了康德、费希特和黑格尔而感到骄傲。”①

（三）流行欧洲——1891年德文第四版序言解读

德文第四版序言由恩格斯于1891年撰写，主要阐述了1883年3月德文第一版书籍问世以来在欧洲各国的发行情况和对无产阶级的重大意义。

此版本在内容上做了细微的修订，一处是对第一章有关昂利·圣西门的内容进行了扩充，因为在上一版本中相较于沙尔·傅立叶和罗伯特·欧文，他的内容略显简单。文中补充提到圣西门认为科学和工业之间应由一种新的宗教纽带结合起来，而这种纽带是一种必然神秘的和等级森严的“新基督教”，其使命就是恢复从宗教改革时起被破坏了的各种宗教观点的统一。另一处是在第三部分对新的生产形式“托拉斯”（垄断组织的形式之一——编者注）的补充，提及其模式趋向于更加集中的社会化，尤其在遇到市场经济状况不好时，“托拉斯”大部分会瓦解。

---

①《马克思恩格斯选集》第3卷，北京：人民出版社，2012年，第747页。

自第一版顺利发行之后，《发展》又被几个国家翻译出版并广泛流传：1883年意大利文本的贝内文托版，1884年俄文本的日内瓦版，1885年丹麦文本的哥本哈根版，1886年西班牙文本的马德里版，1886年荷兰文本的海牙版。

（四）理解全书的关键文章——1892年英文版导言解读

1892年英文版导言由恩格斯撰写，是内容最为丰富的一版导言，也是理解《发展》的关键性文章。这篇导言沿着资本主义国家的发展轨迹，阐述了以英国为代表的资本主义国家从支持唯物主义、反对宗教到打压唯物主义、高举宗教旗帜的整个历史时期的变化。恩格斯对撰写此书时所处的德国时代背景进行了详细介绍，并系统阐释了历史唯物主义的内涵和发展脉络，以及资产阶级反对封建制度的历史溯源和工人阶级逐步登上历史舞台的过程。

1. 为德国无产阶级的统一批判杜林的错误思想

1867年9月，在《资本论》第一卷出版后，出身于普鲁士官吏家庭的杜林在《现代知识补充材料》杂志上发表了对《资本论》第一卷的评论，把《资本论》的阐述方法和黑格尔的唯心辩证法混为一谈。

在1875年前后，杜林宣布自己改信社会主义，并着手编制恩格斯所说的“三支论证”来攻击以马克思为代表的所有的哲学界、经济学界的前辈，“三支论证”包括：1875年版的《哲学教程——严格科学的世界观和生命形成》，构造出整套关于精神的、道德的、自然的和历史的“哲学体系”；1876年版的《国民经济学和社会经济学教程，兼论财政政策的基本问题》，搭建出全套“政治经济学的和社会主义的体系”；1875年版的《国家经济学和社会主义批判史》,祭起了"政治经济学批判史"的大旗。杜林的主要目的是"'在科学中'实行一次完全的'变革'"[①],由此影响了刚赢得统一的德国政党与工人运动的斗争方向。

在1875年以前,德国工人运动的组织是不统一的,存在着两个派别。一个是全德工人联合会,它是由拉萨尔在1863年建立的,又叫拉萨尔派,这是一个机会主义的派别,主张工人阶级争取普选权和进行合法运动,宣扬由国家帮助工人建立生产合作社来实现社会主义。另一派是德国社会民主工党,1869年由德国社会民主党创始人奥古斯特·倍倍尔和威廉·李卜克内西于德国爱森纳赫城建立,又称爱森纳赫派,主张马克思主义基本原则。1871年德国统一之后,工人阶级面对贵族和资产阶级两方的剥削和压迫,为了集中力量对付敌人,发展革命事业,德国无产阶级迫切要求克服分裂,实现统一,以便两党可以全力以赴地攻击共同的敌人。终于,1875年5月在德国哥达代表大会上,全德工人联合会同德国社会民主工党合并为德国社会主义工人党。

由于杜林以"科学"的伪装出现,以小资产阶级社会主义学说向马克思全面发难,迷惑了很多德国政党成员。当时的德国党内面临着一个问题——以杜林主义作为党的理论基础还是以马克思主义作为党的指导思想,这不仅关系到其能否作为一个真正的无产阶级政党而存在,也关系到整个国际共产主义运动能否沿着正确的方向前进。

---

①《马克思恩格斯选集》第3卷,北京:人民出版社,2012年,第751页。

为了捍卫科学社会主义，使刚刚统一起来的德国无产阶级政党沿着正确道路前进，恩格斯针对杜林和杜林派等人的猖狂活动，在1876年5月24日写信给马克思说："试问，难道不是认真考虑我们对待这些先生的态度的时候了吗。"[1]马克思立即在5月25日回信说："我的意见是：'我们对待这些先生的态度'只能通过对杜林的毫不留情的批判来表示。"[2]在马克思的支持和参与下，恩格斯毅然放下了研究并写作数年的《自然辩证法》，立即着手这项批判工作。他在5月28日给马克思的信中阐述了著作总计划和性质，并用两年时间写下了一系列批判杜林的文章，后来汇总成《反杜林论》。《发展》作为《反杜林论》中的一部分核心内容，截至1892年，该书已用十种文字流传开来，是当时社会主义著作中翻译文本最多的。其中，在德国已经印刷了四版，共发行两万余册。

知识链接 ……………………………………………………

★ 机会主义 ★

机会主义，也称投机主义，最早流行于19世纪的法国，指当时政治舞台上一种没有固定政治见解，随机应变，谋取暂时利益的政党或政客。机会主义有两种表现形式。一种是右倾机会主义，表现为思想落后于实际，不根据客观情况而前进，畏缩怯懦。在革命斗争中，过高地估计敌人的力量，不敢进行积极的斗争，甚至对敌人采取投降主义政策。另一种是"左"倾机会主义，表现为思想超越了客观

① 恩格斯：《反杜林论》，北京：人民出版社，2018年，第393页。
② 同①，第393—394页。

过程的一定阶段，脱离了当时大多数人的实践，脱离了当时的现实性。在革命斗争中，低估敌人的力量，扩大打击面，搞过火的斗争，盲动轻进，搞冒险主义。

★ 小资产阶级社会主义 ★

小资产阶级社会主义指的是从小资产阶级立场出发批判资本主义，试图恢复和维护小私有制度的空想社会主义思潮，产生于19世纪上半叶。创始人和主要代表为法国血统的瑞士籍经济学家让·简·查尔斯·西斯蒙第，他在1819年发表的《政治经济学新原理》批判了资本主义，揭露资本主义自身无法克服的矛盾，论证资本主义经济危机的必然性，但他不了解资本主义矛盾的实质及其产生根源，所以称赞封建社会的自然经济，主张回到以生产资料个体所有制和个体劳动为基础的生产方式。

2. 唯物主义的发展与唯心主义的批判

自17世纪以来，英国成为现代唯物主义的发源地，唯名论作为其原始形式存在于英国经院哲学家之中。恩格斯认为："英国唯物主义的真正始祖是培根。在他看来，自然哲学才是真正的哲学，而以感性经验为基础的物理学则是自然哲学的最重要的部分。"[①]培根的唯物主义包含着全面发展的意味，不足之处在于既带有诗意的感性又带有神学的不彻底性。随后，培根的继承者——英国哲学家托马斯·霍布斯将培根的唯物主义系统化，消除了培根唯物主义中有神论的偏见，在摆脱现实世界感性的幻影中融入了新鲜的数学抽象元素，

①《马克思恩格斯选集》第3卷，北京：人民出版社，2012年，第753页。

使之由感性变为理性。但是，霍布斯没有论证培根提出的关于人类的全部知识起源于感性世界的基本原理，反而由英国哲学家约翰·洛克在他的《人类理解论》中作出对比与论证，后又由其他人消除了洛克感觉论中最后的神学藩篱。

在《路德维希·费尔巴哈和德国古典哲学的终结》中，恩格斯曾揭示并驳斥了两种认识：英国哲学家大卫·休谟主张的不可知论和德国哲学家伊曼努尔·康德主张精神本原的唯心主义，而英国的资产阶级试图利用这两种观点为他们信仰宗教提供支撑依据，“这种企图在科学上就是开倒车，而在实践上只是一种暗自接受唯物主义而当众又加以拒绝的羞羞答答的做法”[①]。在1892年英文版导言中进一步批判了不可知论，他明确指出：“这种不可知论的论点，看来的确很难只凭论证予以驳倒。但是人们在论证之前，已经先有了行动。‘起初是行动。’在人类的才智虚构出这个难题以前，人类的行动早就解决了这个难题。”[②]恩格斯利用“实践”，批判了不可知论者在肯定自然界受到规律支配的前提下却提出无法确定在已知世界之外的某个最高存在物的存在，以及承认全部知识源于感官的同时又无法排除感官所感知到的现实事物的反映，等等，诸如此类自相矛盾的说法。

---

①《马克思恩格斯选集》第4卷，北京：人民出版社，2012年，第233页。

②《马克思恩格斯选集》第3卷，北京：人民出版社，2012年，第757—758页。

知识链接

★ 唯名论 ★

唯名论，与唯实论相对，中世纪经院哲学围绕概念与存在、个别与共相的关系之争形成的两个对立派别。唯名论的观点是，一般的概念诸如理念、共相不是实在的（唯实论持相反的观点），只有个别事物才是真实的存在，物体出现后才有人对物体的命名，才产生了概念。即事物在概念出现之前已经存在，而非概念在事物之先。

★ 不可知论 ★

不可知论最初由英国生物学家托马斯·亨利·赫胥黎于1869年提出，与可知论相对，是一种哲学的认识论。不可知论认为，除了感觉或现象之外，无法认识或彻底认识世界本身，人的认识能力不能超出感觉经验或现象的范围，不能认识事物的本质及其规律。在现代西方哲学中，许多流派从不可知论出发来否定科学真理的客观性。

3. 资产阶级反对封建制度与工人阶级登上历史舞台

欧洲革命时期的主导力量是城市的中产阶级即资产阶级，资产阶级的发展注定了封建制度的覆灭。尽管欧洲在罗马天主教会的神权统治下内战频发，但教会仍然把封建的西欧联合为一个政治体系。所以，想成功击败各国世俗的封建制度，关键在于摧毁罗马天主教会。这时，伴随着资产阶级在工业生产中的兴起，科学发展的地位和速度也发生了翻天覆地的变化，包括对天文学、力学、物理学、解剖学和生理学等的研究又活跃起来。资产阶级的崛起离不开科学的支持，但在封建制度下“科学只是教会的恭顺的婢女，不得超越宗教信仰所规定的界限”[1]，在这种情况下，资产阶级不得不为了自身利益而参加反叛。在法国资产阶级通过发起革命彻底推翻封建统治的同时，英国的瓦特等人在18世纪60年代发动了一场以棉纺织业为开端的技术革新，以瓦特蒸汽机的改良和广泛使用为标志的工业革命，使资产阶级拥有的财富总和迅速超过拥有土地的封建贵族。

“工业革命创造了一个大工业资本家的阶级，但是也创造了一个人数远远超过前者的产业工人的阶级。”[2]随着工人阶级力量的凝聚，1824年迫使议会废除了禁止工人结社的法律，1832年工人捍卫自身的选举权利，将选举权的诉求载入宪章，并组成独立的政党组织。步入19世纪中叶，英国从工场手工业跨入现代工业，产品开始使用机器生产，而工人负责调整和记录机器的运作。资产阶级为巩固自身阶级统治的地位，竭力操控、剥削工人的生产能力，大力抵制唯物主义在英国的兴起。然而，资产阶级在尚未清除封建贵族余毒的情况下，面临着无产阶级生力军的日益壮大。1848—1866年，工人阶级依附英国自由党，组成激进的一翼，1884年工人阶级已经在选民中占主要地位，英国资产阶级政党在这种形势下被迫与工人阶级分享政权。在《发展》英文版导言的结尾，恩格斯提到，欧洲工人阶级的胜利至少需要在英、法、德三个国家的共同努力下才能够实现。在英国，工人阶级尽管被资产者的传统和自身的传统所束缚，但仍然在阔步向前迈进；在法、德两国，工人

①《马克思恩格斯选集》第3卷，北京：人民出版社，2012年，第761页。

② 同①，第768页。

阶级的运动规模已超过英国，尤其是德国工人的政治素养很高，无产阶级的胜利指日可待。

二、科学社会主义的思想来源

在《发展》一书的正文中，第一部分主要阐述了科学社会主义的思想来源："同任何新的学说一样，它必须首先从已有的思想材料出发，虽然它的根子深深扎在物质的经济的事实中。"[①]科学社会主义是从空想社会主义出发的，在这一部分中，恩格斯着重阐释了空想社会主义的产生与发展，分析了以昂利·圣西门、沙尔·傅立叶、罗伯特·欧文为代表的空想社会主义学说的思想贡献与局限性及其衰落的必然性，并强调："为了使社会主义变为科学，就必须首先把它置于现实的基础之上。"[②]

（一）空想社会主义的诞生与发展

恩格斯指出，空想社会主义学说是资本主义社会的经济矛盾以及随之产生的阶级矛盾已经有所展露，却又发展得不够充分的特定历史条件的产物。"资产阶级从它产生的时候起就背负着自己的对立物：资本家没有雇佣工人就不能存在，随着中世纪的行会师傅发展成为现代的资产者，行会帮工和行会外的短工便相应地发展成为无产者。"[③]这是空想社会主义得以产生的社会历史根源。

资产阶级在中世纪末期上升为统治阶级，他们标榜自己

① 《马克思恩格斯选集》第3卷，北京：人民出版社，2012年，第775页。

② 同①，第789页。

③ 同①，第777页。

是整个受苦人类的代表，于是作为它的对立面存在的无产阶级也参与到资产阶级领导的反封建斗争中，但是，由于二者之间天然存在的对抗性，导致“在每一个大的资产阶级运动中，都爆发过作为现代无产阶级的发展程度不同的先驱者的那个阶级的独立运动”①，并且在每次运动中都会产生相应的理论，可以说空想社会主义最早诞生于16世纪。

另外，恩格斯着重指出了以法国唯物主义为代表的启蒙思想是空想社会主义得以产生的理论基础，19世纪的空想社会主义在理论表现形式上是对“18世纪法国伟大的启蒙学者们所提出的各种原则的进一步的、据称是更彻底的发展”②。这些启蒙学者的思想是极富革命性的。他们不畏惧权威，对宗教、自然观、社会、国家制度进行无情的批判；他们崇尚理性，反对愚昧的神权统治和宗教迷信，主张建立自由、平等的理性王国。虽然资产阶级没有成功地将启蒙学者的理念付诸实践，但是这些革命启蒙精神给予空想社会主义者很大的启发，使空想社会主义学说得到了进一步的发展。

从16世纪初到17世纪末，是早期空想社会主义的发展阶段。当时资本主义者正加紧资本原始积累的脚步，他们剥夺农民，压榨工人，采用一切野蛮途径进行海外殖民地掠夺，不断积聚资本并扩大经营。这一时期的空想社会主义主要是关于“理想社会制度的空想的描写”③，主要代表人物有托马斯·莫尔、托马斯·闵采尔、托马斯·康帕内拉和杰腊德·温斯坦莱

---

①《马克思恩格斯选集》第3卷，北京：人民出版社，2012年，第777页。

② 同①，第775页。

③ 同①。

等，其中英国人莫尔在1516年出版的《乌托邦》一书，成为空想社会主义的开山之作，意大利人康帕内拉所著的《太阳城》也是一部重要的空想社会主义文献。早期空想社会主义者虽然对资本主义的批判不够彻底，对未来社会的描写还带有众多文学色彩，但这些思想还是具有开创意义的。

18世纪的资本主义由简单协作发展到工场手工业，空想社会主义也开始更多地面向现实，“已经有了直接共产主义的理论”[①]，并且运用法律条文的形式对未来理想社会的基本原则进行阐释，这一时期空想社会主义代表人物基本上集中在法国，主要有让·梅叶等。18世纪的空想社会主义虽仍有局限性，但对未来社会的描述因建立在理性论的基础上而更加务实，并且认识到“不仅应当消灭阶级特权，而且应当消灭阶级差别本身”[②]，还是有很大进步的。

从18世纪中后期到19世纪，受到英国工业革命和法国大革命的影响，资本主义得到进一步发展，无产阶级与资产阶级之间的矛盾则进一步深化，资本主义社会的弊端日益显现出来。在理论方面，历时300多年的发展后，此时产生了以圣西门、傅立叶、欧文为代表的三大空想社会主义者的学说，他们在批判资本主义社会制度的同时，也对未来社会提出了合理的设想。其中，圣西门的代表作是《论实业制度》《新基督教》等，傅立叶的代表作是《论商业》《经济的和协作的新世界》《关于四种运动和普遍命运的理论》等，欧文的代表作是《新社会观》《新道德世界书》《人类思想和实践中的革命》等。由

---

①《马克思恩格斯选集》第3卷，北京：人民出版社，2012年，第777页。

② 同①。

此，空想社会主义发展到了新高度，成为科学社会主义的直接思想来源。

（二）三个伟大的空想主义者的天才思想

恩格斯在《发展》中分别对圣西门、傅立叶和欧文进行了客观的评价，赞扬他们是“三个伟大的空想主义者”[①]，评价他们的学说中处处显露出了“天才的思想萌芽和天才的思想”[②]。

圣西门在很大程度上受到了法国大革命的影响，他的空想社会主义学说是在对法国大革命进行深刻反思的基础上总结而来的。他认为游手好闲者和无财产者没有能力进行精神领导和政治统治，应当由科学和工业来统治（科学指学者，工业指劳动者），这种见解“完全适应法国刚刚产生大工业以及随之产生资产阶级和无产阶级的对立的那个时代”[③]。圣西门还特别关心“人数最多和最贫穷阶级的命运”，提倡“人人应当劳动”，反对不劳而获，恩格斯称赞：“认识到法国革命是阶级斗争，并且不仅是贵族和资产阶级之间的，而且是贵族、资产阶级和无财产者之间的阶级斗争，这在1802年是极为天才的发现。”[④]此外，圣西门用“对人的政治统治应当变成对物的管理和对生产过程的领导”[⑤]表达出了“废除国家”的思想，但他同时也声明：“法国和英国的同盟，其次这两个国家和德国的同盟，是欧洲的繁荣和和平的唯一保障。”[⑥]恩格斯认为他的这

---

①《马克思恩格斯选集》第3卷，北京：人民出版社，2012年，第777页。

② 同①，第781页。

③ 同①，第782页。

④ 同①，第782—783页。

⑤ 同①，第783页。

⑥ 同①，第783页。

个想法是具有勇气和历史远见的。恩格斯对圣西门的整个思想给予了高度评价："我们在圣西门那里发现了天才的远大眼光，由于他有这种眼光，后来的社会主义者的几乎所有并非严格意义上的经济学思想都以萌芽状态包含在他的思想中。"[①]

傅立叶最鲜明的特点就是他对现存的资本主义制度进行了风趣而又深刻的批判，对资产阶级世界在物质和道德上的贫困进行了无情的揭露，他抓住了资产阶级在革命前后的不同嘴脸和虚伪的华丽词句，发现了"同最响亮的词句相对应的到处都是最可怜的现实"[②]。傅立叶不仅是法国知名的批评家，还是讽刺家，他用巧妙诙谐的笔调讽刺了随着法国大革命低落而兴起的投机取巧行为和小商贩气息，"巧妙地批判了两性关系的资产阶级形式和妇女在资产阶级社会中的地位"[③]，第一个明确表达了"在任何社会中，妇女解放的程度是衡量普遍解放的天然尺度"[④]——这在当时绝对是极为进步的先进思想。"傅立叶最了不起的地方表现在他对社会历史的看法上。他把社会历史到目前为止的全部历程分为四个发展阶段：蒙昧、野蛮、宗法和文明。"[⑤]他认为现在的资本主义社会处于"文明"阶段，且这个文明时代是在"恶性循环"中运动，并作出"贫困由过剩本身产生"的深刻论断。傅立叶不仅熟练掌握了辩证法，还将辩证法应用于对历史阶段和人类未来的判断中，认为历史阶段有上升和下降时期，人类将来会归于灭亡。恩格

①《马克思恩格斯选集》第3卷，北京：人民出版社，2012年，第783页。

② 同①。

③ 同①，第783—784页。

④ 同①，第784页。

⑤ 同①，第784页。

斯对他的社会批判性和社会历史观都有较高的评价。

欧文的思想与圣西门、傅立叶相比，更具有工业革命时代的特征。工业革命的爆发使工场手工业发展到现代大工业的程度，与此同时，社会却日益分化，带来了惊人的恶果，作为英国人的欧文对这种社会环境的体会更为深刻。“罗伯特·欧文接受了唯物主义启蒙学者的学说：人的性格是先天组织和人在自己的一生中，特别是在发育时期所处的环境这两个方面的产物。”[①]这一理论构成了欧文后续思想和实践的基础。因而欧文十分注重环境对人的影响作用，认为“工业革命是运用他的心爱的理论并把混乱化为秩序的好机会”[②]，由此欧文试行了这一理论，他在自己的工厂中进行试验，将苏格兰满是堕落分子的一个地方变成模范移民区。在这个试验中，他不仅关心下一代的教育，发明并创办了幼儿园，还减少工人的劳动时间，增加工人的工资。“果实也应当属于劳动阶级”[③]，在欧文看来，使少数人发财而多数人被奴役的生产力应该为共同福利服务，他的思想“始终都保持着这种面向实际的性质”[④]。

“转向共产主义是欧文一生中的转折点。”[⑤]欧文认识到“阻碍社会改革的首先有三大障碍：私有制、宗教和现在的婚姻形式”[⑥]，并且知道向这些障碍进攻的同时会受到排斥与丧失社会地位，但他还是这么做了，最后失败了。于是他直接转

---

①《马克思恩格斯选集》第3卷，北京：人民出版社，2012年，第785页。

② 同①。

③ 同①，第787页。

④ 同①，第787页。

⑤ 同①，第787页。

⑥ 同①，第787页。

向工人阶级，进行了30年的活动。“当时英国的有利于工人的一切社会运动、一切实际进步，都是和欧文的名字联在一起的。”[①]欧文不仅提出了许多富有见解的观点，还付诸实践，为空想社会主义的发展作出了不可或缺的贡献。恩格斯评价欧文“具有像孩子一样单纯的高尚的性格，同时又是一个少有的天生的领导者”[②]。

（三）空想理论的局限

三大空想社会主义者的学说具有不容忽视的历史意义，他们揭示了资本主义制度的弊端，讽刺了资产阶级的虚伪，他们的社会历史观中包含着对未来社会的天才预测，为唯物史观的形成和科学社会主义的创立奠定了基础。然而，由于种种历史条件的制约，这些理论又不可避免地带有局限性。

首先，三大空想社会主义者受法国启蒙思想的影响很深，虽然他们并不赞同在启蒙思想原则下建立的资本主义国家，但是，他们并没有否认理性的力量，并没有认识到“这个永恒的理性实际上不过是恰好那时正在发展成为资产者的中等市民的理想化的知性而已”[③]。所以，三大空想社会主义者只是按照理性的原则对资本主义社会进行批判和否定，却没有深入分析资本主义的本质，没有揭露导致资本主义弊端产生的原因，也没有科学地把握社会发展的客观规律。

其次，空想社会主义者认为只有天才人物才能认识社会主义，并将变革社会的希望寄托在他们身上。“至于天才人物

① 《马克思恩格斯选集》第3卷，北京：人民出版社，2012年，第788页。

② 同①，第785页。

③ 同①，第778页。

正是在现在出现，真理正是在现在被认识到，这并不是从历史发展的联系中必然产生的、不可避免的事情，而纯粹是一种侥幸的偶然现象。”①空想社会主义者没有认识到天才人物的出现只是偶然，很显然，这是唯心主义英雄史观的表现。再加上他们三人并不是无产阶级利益的代表者，不可能认识到无产阶级才是变革社会的巨大力量以及人民群众才是历史发展的推动者，这决定了他们必然无法找到变革现实的社会力量。

最后，空想社会主义对未来社会的设想存在不切实际的幻想成分。“他们都不是作为当时已经历史地产生的无产阶级的利益的代表出现的。他们和启蒙学者一样，并不是想首先解放某一个阶级，而是想立即解放全人类。”②基于阶级发展的局限性与启蒙思想的熏陶，空想社会主义者对未来社会的描绘是抽象而不现实的，只是从他们的头脑中想象出来的，导致“这种新的社会制度是一开始就注定要成为空想的”③。因此，空想社会主义者很难找到实现社会理想的正确道路。

知识链接

★ 理性与知性 ★

“理性”的概念起源于古希腊语“逻各斯”一词，随后在西方哲学史上历经了中世纪基督教神学的理性到近代哲学的人类理性，再到20世纪工具理性和价值理性的划分，在漫长的历史发展中，理性的

①《马克思恩格斯选集》第3卷，北京：人民出版社，2012年，第778页。

② 同①。

③ 同①，第781页。

意义可谓大相径庭。一般而言，理性主要是指人类根据已有经验和知识对客观事物的属性、特性等进行认识和判断的能力，并由此决定自己开展实践活动的行为。

“知性”一词来源于近代德国古典哲学。康德强调人类认识的层次性，将认识划分为“感性—知性—理性”三个阶段，其中将“知性”理解为从感性认识到理性认识的过渡环节，相对于理性的批判意识的内涵，知性偏重于强调产生知识的思维能力。黑格尔继承了康德对人类认识阶段的划分方法，将知性看作是通过抽象概括、分析、整理、归纳，实现对事物的确定性认识的环节。可以看出，知性认识与理性认识在认识对象的方式、过程、范围、层面上存在着明显差异，客观上人类认识也存在着一个从知性认识到理性认识螺旋形上升的发展过程。

（四）不成熟理论衰落的必然

“不成熟的理论，是同不成熟的资本主义生产状况、不成熟的阶级状况相适应的。”[①]空想社会主义从产生到发展经历了几百年的时间，最终趋于衰落，是有着深刻的社会历史原因的。

一方面，以机器大生产为物质条件的资本主义生产方式还没有充分发展，“在英国刚刚兴起的大工业，在法国还不为人所知”[②]。恩格斯指出，只有大工业发展到一定程度才能使经济社会方面的矛盾冲突显露出来，并且解决这些冲突同样需要大工业高度发展所带来的巨大生产力，但是按照当时的

①《马克思恩格斯选集》第3卷，北京：人民出版社，2012年，第780页。

② 同①。

条件，初步发展的大工业是不可能达到上述程度的。另一方面，无产阶级本身还太过于弱小，“它表现为一个无力帮助自己，最多只能从外面、从上面取得帮助的受压迫的受苦的等级”①。无产阶级正处于初步发展的状态中，与资产阶级的对立并不突出，因而不可能联合成为统一的力量。

不成熟的资本主义生产状况加上不成熟的阶级状况，使资本主义社会的基本矛盾还没有充分暴露出来，因此，空想社会主义学说的衰落是必然的。对于空想社会主义者来说，这些情况导致了他们不能认清资本主义和资产阶级的本质，他们只能从这种不发达的经济关系中去寻找问题的解决方案，而不可避免地带有空想的性质。

三、科学社会主义的理论基础

在正文第二部分，恩格斯主要阐明了科学社会主义的理论基础，论述了唯物辩证法和形而上学的根本区别，指出正是由于唯物史观和剩余价值理论这两大发现，社会主义才被置于现实的基础之上，从而从空想变成了科学。

（一）形而上学—唯物辩证法

恩格斯首先回顾了从朴素辩证法到形而上学、从唯心辩证法到唯物辩证法的哲学思想的发展历史，在此过程中阐述了唯物辩证法产生的历史必然性以及辩证唯物主义的自然观和历史观的创立。

早在古希腊时期就有了关于辩证思维的研究。古希腊哲

①《马克思恩格斯选集》第3卷，北京：人民出版社，2012年，第780页。

学的世界观已经能够认识到"一切都在运动、变化、生成和消逝"[①],这是尽管朴素但实质正确的观点。首先表达这种观念的是古希腊哲学家赫拉克利特,他明白地表述出:"一切都存在而又不存在,因为一切都在流动,都在不断地变化,不断地生成和消逝。"[②]恩格斯称赞"古希腊的哲学家都是天生的自发的辩证论者"[③],但这种朴素的辩证法缺少对细节的把握和研究,认清这些细节就成为自然科学和历史研究的任务,并且只有将材料搜集到一定程度后才能够进行分析、比较和划分。

虽然在近代哲学领域中也有辩证法的卓越代表,但他们却日益陷入形而上学的泥沼中。真正的自然科学从15世纪后半期才开始并取得了巨大的进展,但是,"把自然界分解为各个部分,把自然过程和自然对象分成一定的门类,对有机体的内部按其多种多样的解剖形态进行研究"[④]等方法逐渐造就了形而上学的思维方式:"在形而上学者看来,事物及其在思想上的反映即概念,是孤立的、应当逐个地和分别地加以考察的、固定的、僵硬的、一成不变的研究对象。"[⑤]他们在绝对不相容的对立事物中思考,这种非黑即白的思维方式虽然在一定领域内是正确的,但是它迟早会超出界限而陷入矛盾中。"因为它看到一个一个的事物,忘了它们互相间的联系;看到它们的存在,忘了它们的生成和消逝;看到它们的静止,忘了它们

①《马克思恩格斯选集》第3卷,北京:人民出版社,2012年,第790页。

② 同①。

③ 同①,第789页。

④ 同①,第791页。

⑤ 同①,第791页。

的运动；因为它只见树木，不见森林。”[①]恩格斯用形象生动的语言点明了形而上学孤立、片面、静止的思维特点。与之相反，辩证法则是联系、全面、发展的思维方式：“辩证法在考察事物及其在观念上的反映时，本质上是从它们的联系、它们的联结、它们的运动、它们的产生和消逝方面去考察的。”[②]现代自然科学已经证明了辩证法的科学性，因而辩证法将必然取代形而上学。

到了近代，德国哲学使辩证法的思维方式得到了一定的恢复，德国古典哲学创始人康德在科学生涯的一开始，就大胆质疑宇宙不变的观点，并作出“太阳系的产生也预示着它将来的不可避免的灭亡”[③]的结论，这是对形而上学观点的充分否定。此后，黑格尔继续发展了辩证法：“第一次——这是他的伟大功绩——把整个自然的、历史的和精神的世界描写为一个过程，即把它描写为处在不断的运动、变化、转变和发展中，并企图揭示这种运动和发展的内在联系。”[④]恩格斯进一步指出，思维的任务是要透过表面去揭示内在规律性，但是，黑格尔只是提出这一任务却并未解决它，因为他受到了知识和见解的限制，更重要的原因在于，黑格尔是一个唯心主义者，其哲学体系依赖于某种外化的“观念”，而辩证法是揭示事物运动和发展的方法，这使黑格尔哲学陷入了内在矛盾。因此，恩格斯认为：“黑格尔的体系作为体系来说，是一次巨大的流产，

①《马克思恩格斯选集》第3卷，北京：人民出版社，2012年，第792页。
② 同①，第792—793页。
③ 同①，第793页。
④ 同①，第793页。

但也是这类流产中的最后一次。”[①]黑格尔体系的失败标志着近代德国古典哲学的终结，预示了唯心主义辩证法将被唯物主义辩证法代替的必然性。

了解到德国唯心主义的荒谬后，人的认识必然要转向唯物主义，但绝不是形而上学、机械的唯物主义，而应当是辩证唯物主义。一方面，“现代唯物主义把历史看做人类的发展过程，而它的任务就在于发现这个过程的运动规律”[②]，从前的哲学在历史观上都不可避免地陷入了唯心主义，而现代唯物主义将历史置于唯物主义的基础上，拥有唯物主义历史观；另一方面，“现代唯物主义概括了自然科学的新近的进步，从这些进步来看，自然界同样也有自己的时间上的历史”[③]。由此证明，现代唯物主义在历史观与自然观上本质上都是辩证的，同时它“不再需要任何凌驾于其他科学之上的哲学了”[④]，彰显了现代唯物主义的科学性。

（二）唯物史观的创立：社会主义成为历史的必然产物

马克思和恩格斯在研究社会历史规律的时候，将目光投向了历史本身，与此同时，他们关注到“一些在历史观上引起决定性转变的历史事实却老早就发生了”[⑤]，分别是1831年法国里昂丝织工人起义、1838—1842年英国宪章运动。工人运动的兴起说明无产阶级与资产阶级的对立冲突发展到了一个更高的层次，无产阶级的力量相比之前也更加壮大。无产阶

---

①《马克思恩格斯选集》第3卷，北京：人民出版社，2012年，第794页。

② 同①，第795页。

③ 同①，第795页。

④ 同①，第795页。

⑤ 同①，第795页。

级与资产阶级之间的阶级斗争是随着大工业的发展和资产阶级取得政治统治而兴起的。资产阶级的统治地位越高，就越是证明他们“关于资本和劳动的利益一致、关于自由竞争必将带来普遍和谐和人民的普遍福利的学说”[①]是弥天大谎，资本主义社会的发展只给资产阶级带来了好处，给无产阶级带去的只有灾难和贫穷。早期由于资本主义生产方式和阶级状况发展不成熟，法国和英国的空想社会主义者所具有的唯心史观“不知道任何基于物质利益的阶级斗争，而且根本不知道任何物质利益；生产和一切经济关系，在它那里只是被当做‘文化史’的从属因素顺便提一下”[②]，因而他们不能认识并说明阶级斗争的事实，只能从头脑中凭借理性的原则去批判和思考。

新的社会历史现实的发展需要人们对全部历史作新的研究，恩格斯运用唯物辩证法后研究发现：“以往的全部历史，除原始状态外，都是阶级斗争的历史；这些互相斗争的社会阶级在任何时候都是生产关系和交换关系的产物，一句话，都是自己时代的经济关系的产物；因而每一时代的社会经济结构形成现实基础，每一个历史时期的由法的设施和政治设施以及宗教的、哲学的和其他的观念形式所构成的全部上层建筑，归根到底都应由这个基础来说明。”[③]恩格斯认识到阶级斗争的普遍性，并且直接地表达出经济基础决定上层建筑的历史唯物主义思想。

系统构建了辩证体系的黑格尔虽然摆脱了形而上学的问

---

①《马克思恩格斯选集》第3卷，北京：人民出版社，2012年，第795—796页。

② 同①，第796页。

③ 同①，第796页。

题，使历史观成为辩证的，但毫无疑问，他是一个唯心主义历史观者。唯物史观的创立，解决了历史观陷入唯心主义的问题，“唯心主义从它的最后的避难所即历史观中被驱逐出去了，一种唯物主义的历史观被提出来了”[①]。一方面，历史观在摆脱唯心主义后实现了彻底的唯物主义；另一方面，唯物史观强调的是存在决定意识，而不是意识决定存在，这就帮助人们找到了一条研究社会历史的科学道路。所以恩格斯得出结论：“社会主义现在已经不再被看做某个天才头脑的偶然发现，而被看做两个历史地产生的阶级即无产阶级和资产阶级之间斗争的必然产物。”[②]

知识链接

★ 法国里昂丝织工人起义 ★

1831年和1834年，法国里昂工人为反对资本主义剥削压迫进行了两次武装起义。里昂是法国丝织业中心，在工场主和包买商残酷剥削下，丝织工人和手工业者生活极为困苦。1831年初，里昂工人掀起一场以要求提高工资为主要内容的运动，工人多次进行集会、请愿、游行。10月间，与包买商谈判达成最低工资协议，但随之在七月王朝商业大臣的支持下，包买商撕毁协议。1831年11月21日，工人举行抗议示威，与军警发生冲突，转为自发的武装起义。起义者提出“劳动不能维生，毋宁战斗而死”的口号。经过三天战斗，工人一度占领里昂城，但起义很快被七月王朝政府调来的军队所镇压。

---

①《马克思恩格斯选集》第3卷，北京：人民出版社，2012年，第796页。

② 同①。

1834年4月9日，里昂再度爆发丝织工人起义。起义的直接原因是政府逮捕和审判罢工领袖，发布禁止工人结社集会的法令。这次起义具有更鲜明的政治性质，不仅提出经济要求，还提出废除君主制度，建立共和政体的口号。起义者在旗帜上写着：我们为之斗争的事业是全人类的事业。工人组织的互助社和小资产阶级民主主义者组织的人权社、进步社，多方成员组成总委员会领导这次斗争。起义群众同政府军在里昂郊区和市内进行六天激战，终因力量悬殊被政府军镇压。起义在巴黎和法国其他地区引起强烈反响，推动了法国工人运动的发展。里昂工人的两次起义是法国无产阶级作为独立的政治力量登上历史舞台的重要标志之一。

★ 英国宪章运动 ★

19世纪20年代开始，随着英国工业革命发展，资产阶级力量逐渐壮大，并在1832年议会改革中借助工人阶级的支持，取得了政治上的统治地位。而工人阶级在议会改革中却徒劳无获，政治上依然处于无权的地位，于是工人阶级决定掀起一场争取普选权的运动，历史上将这场运动称为“宪章运动”。宪章运动在1838—1848年间曾掀起过三次运动高潮，特别是在第二次斗争的高潮中，工人们除了原有要求，还提出废除新贫民法、提高工资、缩短工时等要求，各地工人纷纷集会，群起响应，请愿人数多达330万人。在历次斗争中工人阶级都为获得普选权在请愿书上签字，但三次请愿均遭到了国会的否决。于是，广大工人进行罢工，并举行示威游行，致使许多工厂和市政陷于瘫痪。罢工和示威游行活动随之遭到英国政府的镇压，运动领袖被抓捕，宪章运动陷入低潮。宪章运动是英国无产阶级第一次独立的政治斗争，列宁评价宪章运动是“世界上第一次广泛的、真正群众性的、政治性的无产阶级革命运动”。此次运动标志着英国无产阶级开始作为一支独立的政治力量登上历史舞台，揭开了同资产阶级争夺政治权力的序幕。

★ 德国西里西亚纺织工人起义 ★

西里西亚是德国当时纺织业的发达地区之一，但是，这个地区从事棉麻纺织的工人和家庭手工业者受到工场主、包买商和地主的残酷剥削。1844年6月4日，以争取提高工资被拒为导火线，在当地两个纺织村镇爆发了纺织工人自发组织的起义。起义人数达3000多名，起义者以简陋武器迎战前来镇压的政府军。6月6日，起义被镇压，宣告失败。这次事件推动了工人运动的发展，表明无产阶级已作为独立的政治力量登上历史舞台。

（三）剩余价值理论的创立：资本主义生产方式的秘密

随着唯物史观的创立，社会主义已不只是空想，更是基于无产阶级和资产阶级之间斗争的必然产物。因此，社会主义的任务不是去想象出一个完美的社会制度，而是“研究必然产生这两个阶级及其相互斗争的那种历史的经济的过程；并在由此造成的经济状况中找出解决冲突的手段”[①]。这当然是与以往的社会主义观点不相容的，早期空想社会主义者激烈地批判资本主义的生产方式及其带来的社会恶果，却不能揭示资本主义生产方式的秘密，他们反对资产阶级对无产阶级的剥削，却无法说明资本主义剥削的本质。因此，为了使社会主义进一步变为科学，应当解决两方面的问题：“一方面应当说明资本主义生产方式的历史联系和它在一定历史时期存在的

①《马克思恩格斯选集》第3卷，北京：人民出版社，2012年，第796页。

必然性，从而说明它灭亡的必然性；另一方面应当揭露这种生产方式的一直还隐蔽着的内在性质。”[①]终于，剩余价值理论的发现揭开了资本主义的剥削秘密。

剩余价值理论是马克思运用唯物史观，在批判继承古典政治经济学及其劳动价值理论的基础上，对资本主义生产关系和经济运动规律进行批判性分析而建立起来的。恩格斯认为，既然以往的空想社会主义不能明白地揭露资本主义生产方式的本质，那么无产阶级就必须用科学的理论来揭示资本主义的秘密，暴露它的非正义性及其必然灭亡的性质。

资产阶级通过资本原始积累暴力剥夺农民土地，掠夺海外财富，使资本主义生产方式得以迅速发展。经过工业革命的蓬勃开展，资本主义社会的生产力空前进步，资产阶级的统治支配地位得以确立。然而，资本主义迅速发展的过程中，工人失去了生产资料，农民失去了土地，他们为了维持生存不得不去工厂工作，不得不出卖自己的劳动力。

马克思认为，劳动力成为商品是在特殊的历史时期下且具备两个条件时才会成立：一方面，劳动者是自由人，能够把自己的劳动力当作商品来出卖；另一方面，他自由得一无所有，不具备任何个人劳动所必需的物质条件。当劳动力成为商品，就意味着资本家支配和剥削工人的雇佣劳动关系被表面上平等、自由的买卖关系所掩盖，工人出卖自身劳动力所获得的工资只是劳动力价值的货币价格，而不是劳动的真正价值。要知道，劳动力本身是创造价值的力量，是价值的源泉，

---

①《马克思恩格斯选集》第3卷，北京：人民出版社，2012年，第797页。

资本家购买并使用劳动力的过程中，不仅能够收回他购买这一商品支付的价值即付给工人的工资，还能得到一个增殖的价值即剩余价值。

毫无疑问，这部分剩余价值是由劳动者创造的，却被资本家无偿占有并成为资产阶级一切财富的源泉。所以资本主义社会的现实状况是，资本家不仅占有生产资料，还占有包含劳动力在内的商品，通过商品交换获取大量利润，而作为劳动者的无产阶级，只能获得维持基本生存的报酬。这就导致了资本主义社会的财富就越来越集中在少数资本家手中，无产阶级却越来越贫穷，随着社会财富的两极分化越来越严重，必然会引起二者之间的矛盾。而且在资本主义生产关系的条件下，资本家剥削剩余价值还具有隐蔽性，似乎一切价值都由资本产生，正是马克思的分析揭示了剩余价值的真正来源，揭露了资产阶级剥削无产阶级的秘密。

剩余价值理论的创立，为社会主义成为科学提供了论证。过去，空想社会主义者虽然反对资产阶级对无产阶级的剥削，但是"不能明白指出，这种剥削是怎么回事，它是怎样产生的"①，只能从感情上进行批判反对，而剩余价值理论说明了两大阶级对立的经济根源。空想社会主义者不能说明和应对的资本主义生产方式，由马克思发现并且揭示了资本主义生产的过程，阐明了资本主义生产方式产生、发展和灭亡的趋势。此外，空想社会主义者没有看到无产阶级的革命作用，马克思却发现了——无产阶级是社会变革的依靠力量，并为他

①《马克思恩格斯选集》第3卷，北京：人民出版社，2012年，第797页。

们指明了奋斗方向，这一切都归功于剩余价值理论的创立。

（四）从空想到科学：社会主义建立在唯物史观和剩余价值理论之上

在第二部分的结尾，恩格斯总结性地写道："这两个伟大的发现——唯物主义历史观和通过剩余价值揭开资本主义生产的秘密，都应当归功于马克思。由于这两个发现，社会主义变成了科学，现在首先要做的是对这门科学的一切细节和联系作进一步的探讨。"①

空想社会主义者受到了唯心史观的影响，他们难以发现无产阶级身上具有的革命作用，只能依靠偶然出现的"天才人物"来实现社会主义的理想，他们所提出的一系列措施也只是起到了温和的改良作用，并不能解决现实社会的问题。因此，这种社会主义只能是一种单纯的空想。与之相反，唯物史观揭示了人类社会发展的根本动力是生产力与生产关系的矛盾运动，从根本上否定了唯心主义的英雄史观，这样才使得社会主义真正建立在现实基础上。唯物史观找到了实现社会主义的根本途径，认识到实现社会主义需要人民群众的参与，需要工人阶级的联合，如果无法使无产阶级代表先进生产力，无法将人民群众团结起来，无法调动无产阶级的积极性，就难以实现社会主义胜利的理想。而且唯物史观阐明了资本主义社会产生、发展和灭亡的必然趋势，资本主义必将会被更高的社会形态替代，也就是更替为社会主义，这是符合人类历史发展规律的。

---

①《马克思恩格斯选集》第3卷，北京：人民出版社，2012年，第797页。

剩余价值理论无情地揭示了资本主义社会极力想要隐藏的秘密，撕开了资本主义“自由、民主、平等”的虚伪面具。资本家表面上以等价交换的原则雇佣工人劳动并付给工人工资，但工人到手的工资只是劳动价值中很少的一部分，劳动力创造的剩余价值都被资本家无偿占有了。剩余价值的发现让我们看到，在资本主义社会中是没有所谓的“平等”存在的，资本家只是采取更加隐蔽的形式愚弄工人阶级，通过不断地剥削工人、压榨工人来获取大量的财富。但是有压迫存在必定会有反抗发生，就像资产阶级曾经推翻封建阶级那样，无产阶级发展到一定程度必然会联合起来推翻资产阶级，消灭私有制和剥削，建立一个人人平等的社会主义社会。因此，剩余价值理论的创立从另一个角度论证了资本主义必然灭亡，找到了实现社会主义的依靠力量，探明了实现社会主义的科学路径。

综上所述，唯物史观和剩余价值学说在马克思主义理论体系的发展过程中不断完善，唯物史观从宏观角度揭示了社会历史发展的一般规律，剩余价值学说从微观角度为唯物史观提供了具体证明，二者的结合使社会主义从空想到科学。

四、科学社会主义的核心原理

恩格斯在《发展》一书的理论探索中，除了阐释唯物史观和剩余价值学说这两大理论以外，第三部分在深刻分析资本主义生产力和生产关系矛盾运动的基础上，阐述了资本主义必然灭亡和社会主义必然胜利的客观规律，分析了社会主义革命的根本途径和依靠力量。另外，还从生产资料和生产力的形态、人的生存状态、无产阶级的使命等方面探索了未来社会的基本特征，这些都为指导社会主义发展指明了方向。

（一）资本主义基本矛盾正对准资产阶级自己

资产阶级推翻了封建专制统治，打破了专制王权和宗法血统对人的束缚，但人类的政治解放和宗教解放还不是人类的彻底解放。恩格斯通过对工人阶级现实状况的考察，发现人们获得的仅仅是表面的、抽象的自由，资本主义社会“还存在着剥削者和被剥削者、游手好闲的富人和从事劳动的穷人之间的普遍的对立”[①]。政治解放和宗教解放虽然完成了对专制特权和宗教权威的批判，消灭了封建社会的等级差别，却形成了以金钱为主要标志的社会阶级差别，现实的人再次被阶级化了。在《共产党宣言》中，马克思对此作出了深刻阐释：“从封建社会的灭亡中产生出来的现代资产阶级社会并没有消灭阶级对立。它只是用新的阶级、新的压迫条件、新的斗争形式代替了旧的。”[②]“资产阶级用来推翻封建制度的武器，现在却对准资产阶级自己了。”[③]

《发展》的出版，在一定意义上标志着资本主义基本矛盾理论的完全形成。在《反杜林论》中，恩格斯已经系统论述了关于资本主义社会基本矛盾的主要内容和两大表现形式，彼时该理论已趋于成熟，《发展》是从社会历史发展必然性的角度再次对资本主义基本矛盾作了更详细的阐述。恩格斯从劳动产品的归属问题出发，论证道：在中世纪那个商品生产才刚

---

①《马克思恩格斯选集》第3卷，北京：人民出版社，2012年，第777页。

②《马克思恩格斯选集》第1卷，北京：人民出版社，2012年，第401页。

③ 同②，第406页。

形成的时候,“劳动产品应当属于谁的问题根本不可能发生”①,劳动资料占有者生产的产品自然归自己所有;当历史的年轮驶入近代,工业革命和资产阶级革命确立了新的生产方式,在不断推动生产社会化之后,劳动者的劳动产品不仅变成了社会的产品,更因产生的财富被个别资本家所占有而“完全是别人劳动的产品了”②。资本主义生产方式作为人类社会生产发展到一定阶段的产物,它伴随着资本主义社会的发展表现为两个基本特征:一是商品经济普遍化,并成为社会物质生产乃至整个经济生活的一般形式,二是以雇佣劳动为基础的生产资料私有制。

据此可以看到,生产资料和生产实质上已经社会化了,但仍服从于私人的占有形式,面对这种资本主义生产关系的不合理现状,恩格斯指出:“赋予新的生产方式以资本主义性质的这一矛盾,已经包含着现代的一切冲突的萌芽。”③“社会化生产和资本主义占有的不相容性,也必然越加鲜明地表现出来。”④这显然已经阐述得再明白不过了,生产社会化与生产资料私人占有之间的矛盾就是资本主义社会的基本矛盾,恩格斯详细地论述了资本主义基本矛盾的四个具体表现。

一是“无产阶级与资产阶级之间的对立”⑤。工业革命引发的生产关系的变革,一方面巩固和发展了资本主义的雇佣劳动制度,另一方面使工人的队伍不断发展壮大,可以说资本

---

①《马克思恩格斯选集》第3卷,北京:人民出版社,2012年,第800页。

② 同①,第801页。

③ 同①,第801页。

④ 同①,第802页。

⑤ 同①,第802页。

主义生产关系在创造资产阶级的同时也创造了工人阶级。然而，两个阶级始终处于不对等的地位，雇佣劳动使“集中在资本家手中的生产资料和除了自己的劳动力以外一无所有的生产者彻底分离了”[①]，不占有生产资料的工人阶级注定是被资本家剥削的对象。不仅如此，资本主义虽然创造了巨大的社会生产力，但也以机器生产、高度分工等方式造成了人的畸形发展：“机器，用马克思的话来说，就成了资本用来对付工人阶级的最强有力的武器，劳动资料不断地夺走工人手中的生活资料，工人自己的产品变成了奴役工人的工具。”[②]

二是“个别工厂中生产的组织性和整个社会中生产的无政府状态之间的对立”[③]。在资本主义生产方式下，一方面，商品生产有着特殊的规律，即商品一经产生，脱离生产者进入市场开始流通交换后，其在市场中的供求变化、价值量等要素便无从查之，这一规律决定了“社会生产的无政府状态已经表现出来，并且越来越走向极端”[④]。另一方面，随着个人的主体意识日益增强，出现了许多有组织性的独立生产企业，企业之间的激烈竞争充斥了无政府的社会。这些资本家为追求利润，完全根据市场价格的涨落、利润的高低而缩小或扩大生产规模，容易造成生产的盲目性和无计划性，无序的竞争和淘汰充斥了市场环境。由于缺少政府的宏观调控，其后果就是不可避免地产生了生产失调现象以及生产和消费之间的矛盾。正

①《马克思恩格斯选集》第3卷，北京：人民出版社，2012年，第802页。

② 同①，第805页。

③ 同①，第804页。

④ 同①，第804页。

如恩格斯所说："资本主义生产方式用来加剧社会生产中的这种无政府状态的主要工具正是无政府状态的直接对立物：每一单个生产企业中的生产作为社会化生产所具有的日益加强的组织性。"[①]

三是生产方式与交换方式的对抗。1825年在英国爆发了第一次经济危机，此次危机主要集中在金融领域，从货币危机到股票下跌再到信用关系破坏，最后银行纷纷破产。此后，资本主义经济危机平均每隔十年就爆发一次，呈现周期性、规模性的特征，基本表现为生产相对过剩，大量商品滞销和劳动人民失业、无力购买商品。此时，以雇佣劳动为主要表现的资本主义生产方式还在进行，商品流通、货币流通等交换方式却已失灵，"经济的冲突达到了顶点：生产方式起来反对交换方式"[②]。

四是资本主义国家的社会性与其阶级性之间的对抗。资本主义经济危机的周期性爆发逐渐暴露了资产阶级在面对现代生产力飞速发展时的软弱无力，许多生产机构开始转向寻求诸如股份公司、托拉斯和国家财产等集体力量的帮助。而在这个转变的过程中，没有价值的资本家也会被淘汰，同样成为资本主义生产方式的排挤对象。反观资本主义国家，资产阶级和工人阶级之间雇佣与被雇佣、剥削与被剥削的关系从未发生变化，甚至加剧了资本家与资本家之间的对抗性。"现代国家，不管它的形式如何，本质上都是资本主义的机器，资本家的国家，理想的总资本家。它越是把更多的生产力据为

①《马克思恩格斯选集》第3卷，北京：人民出版社，2012年，第804页。

② 同①，第807页。

己有，就越是成为真正的总资本家，越是剥削更多的公民。”[1]

马克思、恩格斯毕生追求的是人的自由而全面的发展，而在资本主义的逻辑下，其背后蕴含着巨大的不平等以及无法摆脱的人的危机。资本追求的是财富而非人的发展，导致在资本主义社会中，物的价值取代了人的价值，一部分人的富有和发展以另一部分人的贫困和牺牲为代价：“在一极是财富的积累，同时在另一极，即在把自己的产品作为资本来生产的阶级方面，是贫困、劳动折磨、受奴役、无知、粗野和道德堕落的积累。”[2]因此，推翻封建制度的资本主义生产关系仍然表现为一种私有制代替另一种私有制，一种剥削代替另一种剥削形式。而资本主义生产关系下的矛盾和冲突是科学社会主义产生的物质经济根源，正是资本主义基本矛盾的日益激化并达到不可调和的境地，才有社会主义社会的必然胜利。

（二）无产阶级从自在阶级到自为阶级

“自从蒸汽和新的工具机把旧的工场手工业变成大工业以后，在资产阶级领导下造成的生产力，就以前所未闻的速度和前所未闻的规模发展起来了。”[3]一方面，工业革命作为资本主义发展的客观要求，大大促进了生产力发展，使得资产阶级掌握了经济社会的话语权，进一步巩固了自身的阶级地位，但马克思在《共产党宣言》中强调：“资产阶级不仅锻造了置自身于死地的武器；它还产生了将要运用这种武器的人——现代

---

①《马克思恩格斯选集》第3卷，北京：人民出版社，2012年，第810页。

② 同①，第806页。

③ 同①，第798页。

工人，即无产者”。[1]另一方面，作为资产阶级的对立物，欧洲无产阶级是随着资本主义的发展而产生的，第一次工业革命则客观上加速了欧洲无产阶级队伍的壮大和无产阶级运动的发展。无产阶级人数的不断增加，为19世纪30年代欧洲无产阶级运动的大发展创造了条件。

无产阶级的发展过程，也是同资产阶级的斗争过程，经历了从自在阶级成长为自为阶级的发展过程。最初，无产阶级的斗争表现在个别工厂的工人反对直接剥削他们的单个资产者，为此，工人们摧毁机器，破坏设备，这是一种分散的自发进行的斗争，也是自在阶级的表现。1825年，资本主义世界第一次全国性的经济危机在工业革命的发源地英国爆发，欧洲无产阶级反对资产阶级的斗争发展到自觉性斗争的阶段，各种有组织的大规模的罢工行为甚至武装起义此起彼伏。在这一时期最著名的行动就是1831年和1834年的法国里昂丝织工人起义、1836—1848年的英国宪章运动、1844年的德国西里西亚纺织工人起义，这三次大规模的无产阶级运动是欧洲无产阶级觉醒的重要标志。特别是无产阶级在三次运动中都提出了政治诉求，进行了有组织、自觉性的斗争，并将斗争的矛头明确指向了资产阶级甚至资本主义制度，这是以往的无产阶级运动没有的新现象。

19世纪中期以来，资本主义生产力得到了极大发展，私人资本也迅速积累，资产阶级为了维护自身的统治，运用掌握在自己手里的国家机器对无产阶级进行奴役和打压，在这样一

① 《马克思恩格斯选集》第1卷，北京：人民出版社，2012年，第406页。

种情况下，工人阶级与资产阶级的对抗性矛盾逐渐尖锐化起来，且这种矛盾是不可调和的。与此同时，资本主义生产方式的狭隘性和破坏性也为无产阶级运动指明了方向，即推翻旧制度，建立新制度。无产阶级要想改变这一现状，只能通过暴力革命的手段推翻资本主义，建立社会主义制度，翻身成为统治阶级。暴力革命是无产阶级在特定历史条件下进行社会变革的唯一途径：首先，国家是阶级斗争中的社会组织，无产阶级进行的革命需要借助国家这一特殊力量；其次，无产阶级是革命的主力军，代表全部劳苦大众的利益，为了解放自己、解放全人类就必须进行革命；再次，无产阶级革命具有长期性、艰巨性、复杂性的特点，新的社会制度的胜利必须依靠具有强制力的保障才能实现。

终于，无产阶级不仅作为一支带有自己政治诉求的独立力量登上了近代政治舞台，也为科学社会主义理论的产生提供了必要的阶级基础。无产阶级在反复斗争中积累了经验，增长了才干，不断认识到资本主义制度的本质，认识到自己的历史使命，认识到团结起来组织自己的政党来领导自己反对资产阶级斗争的必要性，更加团结地把地方斗争汇合成全世界无产阶级反对整个资产阶级及其政府的阶级斗争，从而发展出以夺取政权为目标的政治斗争。这样，无产阶级从自发阶段进一步发展到自觉阶段，形成了马克思所说的自为阶级，成长为推翻资本主义的革命力量。

（三）社会主义向何处去——基于历史和现实对未来社会主义社会的设想

恩格斯关于对未来社会主义社会的设想，是科学社会主义的核心内容。在恩格斯看来，在解答了社会主义“从何处来”的问题之后，社会主义“向何处去”的问题也需要给出观点。不同于那个时代的空想家们基于所谓的理性原则去设计一个未来社会样态，恩格斯始终坚持实事求是的原则，立足于历史发展规律去发现和分析未来社会主义的整体走向和基本特征，展现了整套理论的清晰性和完整性。

第一，生产资料由全社会共同占有。恩格斯指出，社会占有生产资料并不是人们头脑中的空想，而是历史发展的必然。生产资料归不归全社会所有，是社会主义社会和资本主义社会的最大区别。虽然资本主义社会也出现了国有化，但从本质上看，这种国有化是为了维护极少数资本家利益而存在的，资本主义生产方式下的经济危机已经充分表明，任何私人占有都会成为生产力进一步发展的阻碍。要想冲破这种阻碍，必须使生产资料归社会所有；要想实现社会所有，必须打破原有制度的束缚。社会主义制度是为实现多数人的利益而存在的，社会主义社会的生产资料占有方式与资本主义社会截然不同：“一方面由社会直接占有，作为维持和扩大生产的资料；另一方面由个人直接占有，作为生活资料和享受资料。”[1]社会占有生产资料并不简单等同于国家所有制，无产阶级将生产资料变为公有财产，使其摆脱了资本的性质，实现了社会化，这时国家成了整个社会的代表。而且“这种占有只有在实现它的实际条件已经具备的时候，才能成为可能，才能成为历史的必然性”[2]，这一“实际条件”就是现代生产力的充分

①《马克思恩格斯选集》第3卷，北京：人民出版社，2012年，第812页。

② 同①，第813页。

发展。只有从现代生产力的本性出发，使生产力得到充分发展，生产资料才能从资本主义生产方式的桎梏中解放出来。因此，建立生产资料公有制，解放和发展生产力，是社会深度变革的必然要求。

第二，人成为自然和社会的主人。“通过社会化生产，不仅可以保证一切社会成员有富足的和一天比一天充裕的物质生活，而且还可能保证他们的体力和智力获得充分的自由的发展和运用。”[①]当社会化生产与社会占有生产资料同步，这时的人们不仅不再受生存境遇和物质条件的限制，开始积极地进行生产活动，还能自觉地运用生产资料和产品，完全根据社会和个人的需求进行生产。只有这样，资本主义基本矛盾才能得到解决，生产力才可以发挥出最大的作用，为生产者生存和发展创造有利的条件，才意味着“人们第一次成为自然界的自觉的和真正的主人，因为他们已经成为自己的社会结合的主人了”[②]。恩格斯对未来社会中人的存在状态也充满信心：“只是从这时起，人们才完全自觉地自己创造自己的历史；只是从这时起，由人们使之起作用的社会原因才大部分并且越来越多地达到他们所预期的结果。这是人类从必然王国进入自由王国的飞跃。”[③]

第三，现代无产阶级的历史使命。如果说早期无产阶级是没有生产资料、只靠出卖劳动力获取微薄薪水、毫无反抗能力的社会底层，那么自19世纪中后期以来，他们以罢工、组织

---

①《马克思恩格斯选集》第3卷，北京：人民出版社，2012年，第814页。

② 同①，第815页。

③ 同①，第815页。

工会等斗争形式发动了诸多有组织的、自觉的工人运动和无产阶级革命，使资产阶级愈加认识到无产阶级的强大力量。随着无产阶级的不断发展，只有“取得公共权力，并且利用这个权力把脱离资产阶级掌握的社会化生产资料变为公共财产”①，才能最终解决资本主义基本矛盾。总之，恩格斯不仅看到了资本主义社会中存在的基本矛盾——这一矛盾必然让资本主义走向灭亡，还在此基础上找到了矛盾的根源，发现了解决这一矛盾的力量——无产阶级。“完成这一解放世界的事业，是现代无产阶级的历史使命。”②

第四，科学社会主义的任务。无产阶级肩负着解放全人类的历史任务，只有掌握了革命理论——科学社会主义，才有了承担历史使命的理论支撑。无产阶级运动实践和科学社会主义理论是一个密切相关的统一体，科学社会主义理论体系是关于无产阶级对抗资产阶级、建立社会主义社会的学说，“认识到自己的行动的条件和性质，这就是无产阶级运动的理论表现即科学社会主义的任务”③。社会主义有其自身的性质、特征和发展规律，科学社会主义必须通过调查研究揭示这些内容来构成完整的理论体系，并以此指导无产阶级运动。而无产阶级运动也是一个动态发展的过程，在不同的发展阶段有符合某个历史时期的特点，科学社会主义理论也必须成为关于人类社会发展的最新理论成果。

对于社会主义向何处去的回答，恩格斯不是从头脑中去

---

①《马克思恩格斯选集》第3卷，北京：人民出版社，2012年，第817页。

② 同①。

③ 同①。

预言一个新世界，而是基于社会发展的历史和现实去设想未来，秉持科学的态度和方法展望未来，不仅将理论研究与革命实践同无产阶级解放事业紧紧地联系在一起，也证明了社会主义的胜利这一历史必然性。

延伸阅读

(1) [美]伯特尔·奥尔曼:《市场社会主义——社会主义之间争论》，段忠桥译，北京:新华出版社，2000年。

(2) [奥]路德维希·冯·米瑟斯:《社会主义——经济与社会学的分析》，王建民等译，北京:中国社会科学出版社，2008年。

(3) [英]安东尼·克罗斯兰:《社会主义的未来》，轩传树等译，上海:上海人民出版社，2011年。

(4) 彭明主编:《从空想到科学:中国社会主义思想发展的历史考察》，北京:中国人民大学出版社，1991年。

(5) 郑永年:《中国模式:经验与困局》，杭州:浙江人民出版社，2010年。

(6) 于幼军、黎元江:《社会主义五百年(第1卷):社会主义从空想到科学》，广州:广东教育出版社，2011年。

(7) 鲁品越:《人间正道——重读〈社会主义从空想到科学的发展〉》，北京:人民出版社，2013年。

(8) 陈培永:《社会主义的哲思——恩格斯〈社会主义从空想到科学的发展〉如是读》，广州:广东人民出版社，2014年。

(9) 袁秉达等:《超越乌托邦——〈社会主义从空想到科学的发展〉解读与启示》，上海:上海人民出版社，2017年。

(10) 顾海良:《科学社会主义的发展阶段及其主题转换》，《中国人民大学学报》2005年第3期。

(11) 高放:《世界社会主义五百年历史的观察与思考》,《观察与思考》2016年第9期。

(12) 刘海涛:《论社会主义从空想到科学的发展》,《科学社会主义》2018年第3期。

(13) 刘兴盛:《社会关系:马克思科学社会主义理论的核心概念》,《当代世界与社会主义》2018年第6期。

(14) 胡焱、刘泽:《中国特色社会主义必须坚持科学社会主义基本原则》,《毛泽东邓小平理论研究》2019年第6期。

深度思考

(1) 恩格斯撰写《反杜林论》基于怎样的时代背景?

(2) 杜林是从哪些方面对马克思主义进行全面攻击的?

(3) 科学社会主义的形成遵循怎样的思想轨迹?对后人的思想又产生怎样的影响?

(4) 在空想社会主义的启蒙时期,有哪些奠基人?

(5) 如何理解社会主义的历史必然性?

(6) 如何看待世界无产阶级革命和社会主义运动的深远影响?

(7) 如何看待新时代无产阶级的地位和作用?

(8) 如今一些资本主义国家为了缓解国内生产发展方面存在的问题,缓和与工人之间的矛盾,采取了一系列福利政策,如何看待资本主义国家出现的这些变化与采取的对策?

Reading & Interpretation

大家写小书·马恩经典著作新读

第 三 章

理论意义与历史意义

《发展》从历史与现实的角度，阐明了科学社会主义的思想来源、理论基础和核心原理，概述了社会主义从空想到科学的发展进程，可以说是一部深刻诠释科学社会主义基本观点的理论著作，具有重要的理论意义与价值，即对科学社会主义与德国古典哲学、空想社会主义、历史唯物主义的关系，厘清思路，阐明原理，作出分析，并且实现了科学社会主义学术性与大众化之间的结合，在当时无产阶级运动与群众宣传中产生了深远影响。

一、科学社会主义是对空想社会主义的继承与突破

任何一种重要的思想理论，不只是同时代经济社会发展的产物，也是建立在前人的思想成果之上的。《发展》开篇就点明了这个道理，指出空想社会主义是科学社会主义的思想来源，二者之间存在着直接的继承关系。

空想社会主义者的天才设想为科学社会主义提供了思想材料。“由‘理性的胜利’建立起来的社会制度和政治制度竟是一幅令人极度失望的讽刺画”[①]，这种社会现实导致以圣西门、傅立叶和欧文为代表的空想社会主义者开始思考与揭露现实与理想之间的巨大反差，提出诸多辛辣的批判以尝试消除社会的弊病，幻想构建新的理想世界。圣西门把阶级之间的对立概括为“劳动者”和“游手好闲者”之间的对立，他关于阶级对立和阶级斗争的观点为科学社会主义的阶级斗争学说提供了依据。傅立叶把社会历史到目前为止的全部历程划分为蒙

① 《马克思恩格斯选集》第3卷，北京：人民出版社，2012年，第779页。

昧、野蛮、宗法和文明四个发展阶段，他关于社会历史的看法在一定程度上助力了科学社会主义关于社会形态理论的形成。欧文看到了工人处于奴隶地位，认为这不合乎人的尊严，并提出劳动成果应归劳动阶级以及为大家谋福利的思想，他的这些思想或多或少成为科学社会主义关于人的全面发展理论的思想材料。他们提出的这些天才设想都不同程度地批判了资本主义社会，为科学社会主义提供了丰富的思想土壤。

同时，空想社会主义的“不伦不类”使科学社会主义的诞生成为必要。“不成熟的理论，是同不成熟的资本主义生产状况、不成熟的阶级状况相适应的。”[①]空想社会主义者是伴随着早期资本主义生产方式而产生的，当时的资本主义生产方式以及相应的阶级冲突还不成熟，基本矛盾暴露得还不充分，导致空想社会主义存在明显的理论缺陷。“他们和启蒙学者一样，想建立理性和永恒正义的王国”[②]，即寄希望于理性，宣扬超阶级的“理性论”；他们把无产阶级仅仅视为同情的对象和受苦的阶级，寄希望于社会上层那些所谓的“天才人物”，宣扬唯心主义的“天才决定论”。正如恩格斯所总结的：“他们都不是作为当时已经历史地产生的无产阶级的利益的代表出现的。”[③]尽管他们把社会主义看成是绝对真理的表现，但是每个空想社会主义者所认为的真理、理性和正义又是各不相同的，所以导致他们的观点相互冲突，互相磨损，最终形成了一种

---

①《马克思恩格斯选集》第3卷，北京：人民出版社，2012年，第780页。

② 同①，第778页。

③ 同①，第778页。

"折中的不伦不类的社会主义"[①]。因此，为了使社会主义从空想变成科学，科学社会主义的诞生显得尤为必要。

二、科学社会主义是对德国古典哲学的发展与创新

恩格斯在《发展》1882年德文第一版序言中指出："科学社会主义本质上就是德国的产物，而且也只能产生在古典哲学还生气勃勃地保存着自觉的辩证法传统的国家，即在德国。唯物主义历史观及其在现代的无产阶级和资产阶级之间的阶级斗争上的特别应用，只有借助于辩证法才有可能。"[②]这阐明了科学社会主义与德国古典哲学的辩证法传统之间存在的是批判继承、发展和创新关系。

德国古典哲学恢复了辩证法的地位，使科学社会主义寻觅到了思维方式变革的切入口。众所周知，黑格尔是德国古典哲学的集大成者，他的辩证法思想是极其具有革命性的，就连马克思也曾在《资本论》第一卷中写下"我公开承认我是这位大思想家的学生"[③]。黑格尔的伟大功绩在于他第一次"把整个自然的、历史的和精神的世界描写为一个过程，即把它描写为处在不断的运动、变化、转变和发展中，并企图揭示这种运动和发展的内在联系"[④]。按照黑格尔的辩证法可以发现，人类社会的历史进程是在不断地变化发展的，思维的任务则是透过表面现象的偶然性揭示过程内在的规律性。但是，由

---

①《马克思恩格斯选集》第3卷，北京：人民出版社，2012年，第789页。

② 同①，第746—747页。

③《马克思恩格斯选集》第2卷，北京：人民出版社，2012年，第94页。

④ 同①，第793页。

于时代的限制以及自身知识的局限，黑格尔终究是个唯心主义者："在他看来，事物及其发展只是在世界出现以前已经以某种方式存在着的'观念'的现实化的反映。"[①]这样的"观念"实际上就是把绝对精神看作是世界的本质，世间万事万物只是绝对精神的外化。这就使得作为德国古典哲学集大成的黑格尔哲学存在着不可调和的内在矛盾：体系是唯心的，方法论却是辩证的。

马克思和恩格斯继承了黑格尔哲学的"合理内核"——辩证法，在唯物主义的基础上将其运用到自然观和历史观当中，创新发展出考察自然和人类历史的正确方法论——唯物辩证法，使科学社会主义得以找到变革思维方式的突破口。

知识链接

★ 绝对精神 ★

19世纪，德国古典哲学家黑格尔提出"绝对精神"的概念。黑格尔的绝对精神思想起源于宗教神学，他在早期批判传统犹太教和基督教的同时，维护着神的合法地位，"绝对的神"成为绝对精神的原点。随后黑格尔提出"精神成为绝对的东西，这精神由于其绝对性同时就是上帝"，将上帝看作"思想着的精神"，此时的绝对精神仍具有浓厚的宗教色彩。等到了德国耶拿，黑格尔迎来了哲学创造的暴发期，他逐渐将绝对精神的研究方向从上帝视角转向现实世界，力图通过逻辑思维和概念思辨把握这一思想的现实性，《逻辑学》一书的出版标志着绝对精神思想的成熟。绝对精神作为宇宙万物共同

①《马克思恩格斯选集》第3卷，北京：人民出版社，2012年，第794页。

本质基础的精神实体，黑格尔将其看作是世界的本原，并认为物质世界是绝对精神的外化和表现，这属于客观唯心主义。同时，绝对精神通过"正—反—合"的辩证法运动形式，分阶段地揭示了现实世界中事物与事物之间的矛盾辩证关系，这在一定意义上为马克思的辩证唯物主义思想奠定了基础。

三、历史唯物主义为科学社会主义奠定基础

那么，怎样才能使社会主义从空想变成科学呢？恩格斯提出了解决问题的根本出路："为了使社会主义变为科学，就必须首先把它置于现实的基础之上。"[①]于是，马克思、恩格斯以资本主义社会的物质生产和经济关系为视角，运用辩证法的思维方式，实现了哲学史上的重大变革，创立了历史唯物主义，即唯物史观。

历史唯物主义为科学社会主义理论的生成奠定了哲学基础。恩格斯在《发展》中对历史唯物主义作了概括性表述："以往的全部历史，除原始状态外，都是阶级斗争的历史；这些互相斗争的社会阶级在任何时候都是生产关系和交换关系的产物，一句话，都是自己时代的经济关系的产物；因而每一时代的社会经济结构形成现实基础，每一个历史时期的由法的设施和政治设施以及宗教的、哲学的和其他的观念形式所构成的全部上层建筑，归根到底都应由这个基础来说明。"[②]唯物史观关于社会存在与社会意识、生产力与生产关系、经济基

① 《马克思恩格斯选集》第3卷，北京：人民出版社，2012年，第789页。
② 同①，第796页。

础与上层建筑等的重要论断，揭示了人类社会发展的一般规律，成为科学社会主义的重要理论基础。终于，不但打碎了空想社会主义寄希望于理性、寄希望于天才人物的幻想，而且“唯心主义从它的最后的避难所即历史观中被驱逐出去了”①。

历史唯物主义为科学社会主义的实现指明了前进方向。恩格斯运用唯物史观考察人类社会，分析出封建社会生产力与生产关系的桎梏导致资本主义社会的产生，而资本主义社会如今也同样面临生产力与生产关系的矛盾冲突，这也是其社会基本矛盾的根源，由此得出社会主义必然替代资本主义的结论，把科学社会主义的实现建立在人类社会发展的历史必然性的基础之上。与此同时，马克思、恩格斯将唯物史观作为科学的世界观和方法论，具体考察资本主义生产方式，创立了剩余价值理论。马克思、恩格斯通过剩余价值理论，揭示了资本主义社会中资本家剥削工人的秘密，阐释了资产阶级与无产阶级的根本对立关系，得出了无产阶级要摆脱压迫与束缚必须推翻维护资本主义生产关系的国家机器的结论。

综上，历史唯物主义和剩余价值理念这两大发现，既揭示了资本主义必然灭亡和社会主义必然胜利的客观规律，又找到了实现这个客观规律的理论基础，从而把社会主义置于现实的基础之上，使社会主义从空想变成了科学。

①《马克思恩格斯选集》第3卷，北京：人民出版社，2012年，第796页。

四、科学社会主义的学术性与大众化结合的典范

《发展》为科学社会主义从创立到发展的历史过程作了一次系统而完整的总结。马克思称它是“科学社会主义的入门”[①]，列宁说这是一部“概述社会主义发展史”[②]的经典著作。该书在科学社会主义发展史上具有重要影响，是科学社会主义著作中学术性与大众化结合的典范。

恩格斯在投身科学社会主义发展与实践的期间，恰逢1871年巴黎公社的诞生，它标志着国际工人运动迎来了崭新的阶段。之后，马克思、恩格斯总结了巴黎公社失败的经验教训，认为无产阶级在反对资产阶级的斗争中，只有建立自己独立的革命政党，才能保证革命取得胜利。随着马克思主义的广泛传播，工人开始在政治领域活跃起来，欧洲各国工人阶级相继建立自己的政党，组织和教育无产阶级，准备迎接革命高潮。

但是，当时的欧洲处于资本主义所谓“和平”发展的时期，这个时期的特点，正如列宁所指出的，没有发生过革命以及进入了未来改革时代的准备阶段，这样的形势成了机会主义滋生、泛滥的客观条件。工人运动中的一些上层分子，例如俄国无政府主义者米哈伊尔·亚历山大罗维奇·巴枯宁鼓吹机会主义，破坏无产阶级的革命斗争，他们反对在各国单独建立无产阶级政党，并采取阴谋手段破坏建党工作，破坏党的发展。所以在当时的德国，机会主义的问题十分突出。德国在很长的

①《马克思恩格斯选集》第3卷，北京：人民出版社，2012年，第743页。

②《列宁专题文集：论马克思主义》，北京：人民出版社，2009年，第58页。

时期内是一个封建君主国林立、四分五裂的国家，直到19世纪70年代普法战争期间才由分裂走向统一，建立了以普鲁士为首的德意志帝国。这种统一虽然是资产阶级向贵族妥协的结果，但在客观上对资本主义的发展起了推动作用。在资本主义生产迅速发展的条件下，德国无产阶级也日益壮大，而资产阶级在经济和政治上的压迫，加深了无产阶级、资产阶级、贵族三者之间的矛盾，德国的工人运动便在此基础上发展起来。无产阶级运动逐渐在欧洲蔓延开来，例如1879年秋天，在马赛召开的法国工人代表大会宣告法国工人党的成立，这是法国工人运动中的第一个无产阶级政党。当时，无产阶级的斗争实践迫切需要研究资本主义发展的新形势，总结工人运动的新经验，系统地阐发马克思主义的基本原理特别是它的理论基础，以便从思想源头清除机会主义的影响，用科学的世界观进一步武装工人阶级，帮助建立和发展社会主义政党，推动工人运动的进一步发展。

1. 为无产阶级争取自身解放提供了科学的理论指导

《发展》阐释了科学社会主义的本质特征，证明了社会主义可以从空想理论变为科学理论，并辨析空想社会主义和科学社会主义的实质区别，从而为工人运动提供了批判资产阶级、小资产阶级的作战方针。其实，恩格斯早在1874年就已经觉察到以理论指导实践的重要意义，在《德国农民战争》序言中，他号召德国社会民主党的领袖要意识到："越来越彻底地摆脱那些属于旧世界观的传统言辞的影响，并且时刻注意到：社会主义自从成为科学以来，就要求人们把它当做科学来对待，就是说，要求人们去研究它。”①

在该书的撰写时期，马克思正被病魔缠身（1883年3月14日在伦敦公寓离世），虽然当时马克思主义的各个组成部分已经基本成型，但并没有归结出一个系统的逻辑框架。那些以杜林为代表的小资产阶级社会主义者借此攻击马克思主义，在资本主义发展之迅猛、途径之创新的背景条件下，导致工人阶级士气不足。因此，为了阻止这些不正当的意图，恩格斯在《反杜林论》中深刻论证了马克思主义世界观，在《发展》一书中坚定了科学社会主义的思想来源、理论基础和核心原理。马克思在1880年法文版的前言中，称这本小册子摘录了《反杜林论》理论部分中最重要的内容，具有深邃的思想性。恩格斯在写作这本小册子时不到60岁，正值思想成熟和精力旺盛之时，他不仅把《反杜林论》的精华部分选编于其中，还吸收了《共产党宣言》《资本论》等经典著作中诸多重要的思想成果加以润色。总之，这是一部成熟的科学社会主义的理论著作，不但具有极强的学术性，更为无产阶级革命运动提供强有力的思想武器。

2. 为广大的工人群众提供了经典的“教科书”式通俗读物

继巴黎公社失败以后，国际工人运动逐渐在欧洲各国掀起高潮，当时的重要任务是抓紧在各国建立以马克思主义为指导思想的工人党派联盟，于是相继在德国有了社会主义工人党，在法国成立了工人党等。恩格斯在这时也注意到世界上不同国家工人运动的具体情况，针对各国的国情和工人对

---

①《马克思恩格斯选集》第3卷，北京：人民出版社，2012年，第38页。

文化接受的程度编写了不同的序言和标题，以便各国工人可以普遍接受。例如在1882年德文第一版序言中，恩格斯分析了直接在群众中宣传科学社会主义理论的意义和方法，他思考着如何使一部学术性的著作适用于直接宣传，并在形式和内容上作了一些修改。在形式上保留了常用的外来语并增加一些必要的口头解释，在内容上，工人群众因为自身的阶级属性注定要比那些所谓“有教养”的资产阶级更容易理解、接受这些理论，所以恩格斯预测阅读这本小册子对于工人群众来说并不困难。事实证明，该著作在发行和理论宣传上有非常可观的成效。随着《发展》作为法国工人党的宣传性著作的传播，该书逐渐在欧洲各国得到普及，形成了以马克思主义思想为指导的理论宣传态势，在当时不仅是社会主义著作里译文版本最多的著作，也成为面向工人群众宣传社会主义的经典范本。

知识链接

★ 巴黎公社 ★

巴黎公社是在1871年3月18日到5月28日期间短暂统治巴黎的政府，是人类历史上第一次无产阶级政权的伟大尝试。普法战争失败后，法国资产阶级政府的阶级压迫和民族投降政策激起广大群众的极度不满。1871年3月18日，巴黎工人举行起义，建立了无产阶级革命政权。3月28日，巴黎公社宣告成立。5月28日，在经历了顽强抵抗的流血周后，公社宣告失败。马克思、恩格斯自始至终支持和帮助巴黎公社，并科学地总结了公社的经验：工人阶级“不能简单地掌握现成的国家机器，并运用它来达到自己的目的”“用他们自己的政府机器去代替统治阶级的国家机器、政府机器”。

★ 普法战争 ★

普法战争是1870—1871年普鲁士王国（德意志帝国的前身）同法兰西第二帝国之间的战争。这次战争使普鲁士王国完成德意志统一，取代了法国在欧洲大陆的霸主地位。同时，普法战争作为第一次世界大战（1914—1918年）的导火索之一，加深了法德两国之间的矛盾。除此以外，这次战争所实行的普遍义务兵役制对于建立庞大的军队并使其预先做好周密的战争准备具有重大意义，战争所建立的总参谋部在准备和实施作战、编制动员计划和铁路运输计划以及在军事上使用电报等方面都具有特殊作用，德军依靠上述措施才得以先于协约国方完成动员和战略展开，从而掌握了一战的战略主动权。

延伸阅读

（1）［英］特里·伊格尔顿：《马克思为什么是对的》，李杨、任文科、郑义译，重庆：重庆出版社，2017年。

（2）胡大平：《回到恩格斯》，南京：江苏人民出版社，2011年。

（3）张一兵：《回到马克思》，南京：江苏人民出版社，2014年。

（4）顾海良：《人间正道是沧桑——世界社会主义五百年》，北京：中国人民大学出版社，2018年。

深度思考

（1）如何认识辩证唯物主义与历史唯物主义两者之间的关系？

（2）“两大发现”是什么？它们如何使社会主义从空想变成

科学？

（3）马克思主义哲学如何扬弃黑格尔的辩证法思想以及费尔巴哈的唯物主义思想？

（4）恩格斯在巴黎公社失败后，受到哪些启发？

Reading & Interpretation
大家写小书·马恩经典著作新读

第四章

新时代重读《社会主义从空想到科学的发展》的现实意义

《发展》虽然发表于百余年前，但它所揭示的科学社会主义原理和精神并没有随着时间失去价值，相反，它以其独特的魅力成为一代又一代共产党人和工人群众的理论武器，指导着人们建设和发展社会主义，最终实现共产主义远大理想。我们在新的历史方位下重读这部著作具有重要的现实意义，有助于我们掌握科学社会主义的来龙去脉、科学依据、核心理论，搞清楚以下几个问题。

一、中国特色社会主义是对科学社会主义的尊重与丰富

习近平总书记指出："科学社会主义在中国的成功，对马克思主义、科学社会主义的意义，对世界社会主义的意义，是十分重大的。"[①]中国特色社会主义进入新时代，不仅对中华民族而言是标志性的历史时刻，而且在整个科学社会主义发展史上也具有极其重要的意义。

中国特色社会主义必须尊重并坚持科学社会主义的基本原则。《发展》论述了关于生产力与生产关系、经济基础与上层建筑、社会存在与社会意识等人类社会发展的一般规律，形成了诸多关于科学社会主义的基本原则：生产力决定生产关系，经济基础决定上层建筑，社会存在决定社会意识，人民群众是社会历史的创造者，等等。"中国特色社会主义，是科学社会主义理论逻辑和中国社会发展历史逻辑的辩证统一"[②]，这种统

① 《习近平在学习贯彻党的十九大精神研讨班开班式上发表重要讲话强调 时代是出卷人 我们是答卷人 人民是阅卷人》，《人民日报（海外版）》2018年1月6日，第1版。

② 习近平：《关于坚持和发展中国特色社会主义的几个问题》，《求是》2019年第7期。

一性体现在：中国特色社会主义必须坚持生产力决定生产关系的科学原则，始终以解放和发展生产力为根本任务，不断满足人民对美好生活的需要；中国特色社会主义必须坚持科学社会主义的群众史观，始终自觉站在最广大人民的立场上，努力实现中国人民的共同富裕。

中国特色社会主义丰富了科学社会主义的新内涵。改革开放40多年来的实践经验启示我们：要形成具有中国特色的社会主义市场经济体系，有效调解政府与市场的关系；健全社会主义协商民主政治，大力推进社会主义民主政治建设；顺应时代发展潮流，倡导人类命运共同体的伟大思想，在国际舞台上展现中国智慧。正如习近平总书记所说："当代中国的伟大社会变革，不是简单延续我国历史文化的母版，不是简单套用马克思主义经典作家设想的模板，不是其他国家社会主义实践的再版，也不是国外现代化发展的翻版。社会主义并没有定于一尊、一成不变的套路，只有把科学社会主义基本原则同本国具体实际、历史文化传统、时代要求紧密结合起来，在实践中不断探索总结，才能把蓝图变为美好现实。"[①]

二、中国特色社会主义伟大实践的筑"根"固"魂"

为了使这部学术性著作变成通俗易懂的教科书式读物，恩格斯花了很大的心思在内容和形式上进行修改，同时在该书被翻译为各种其他文本的过程中还不断地进行校对和修订。可见，恩格斯十分重视科学社会主义理论的大众化和本

① 习近平：《在纪念马克思诞辰200周年大会上的讲话》，《人民日报》2018年5月5日，第2版。

土化。重读经典，有利于我们思考在这个过程中如何实现中国特色社会主义与中华优秀传统文化的融合，深化对马克思主义中国化、马克思主义大众化的认识。

中国特色社会主义离不开中华优秀传统文化的丰厚滋养。习近平总书记曾强调："中国特色社会主义不是从天上掉下来的……是在对中华文明5000多年的传承发展中得来的。"[①]也就是说，中国特色社会主义蕴含于中华民族5000多年文明历史所孕育的中华优秀传统文化之中。从理论的角度看，博大精深、源远流长的中华优秀传统文化，包含着中华民族持久、深沉的精神追求，是中国特色社会主义的精神源泉。从实践的维度看，中国特色社会主义是在党领导人民革命、建设、改革的探索过程中形成的，是在对中华优秀传统文化的继承与发展中得来的。

马克思主义哲学指出，要坚持共性与个性的统一。马克思主义是一个丰富的理论体系，在各国实际运用的过程中必然会存在具体的方式。同样地，马克思主义传入中国，必然会是一个与中华优秀传统文化交融的进程。在马克思主义中国化的过程中，不仅是用传统汉字和语言习惯去译注马克思主义经典著作，还需要发挥多种形式对马克思主义的内容与形式进行改造，使其成为中华各族儿女喜闻乐见的理论指南。正如习近平总书记所强调的，"要加强对中华优秀传统文化的

① 习近平：《在纪念马克思诞辰200周年大会上的讲话》，《人民日报》2018年5月5日，第2版。

挖掘和阐发”[①]，只有这样，马克思主义才能在中华大地上扎根，开花，最后结出灿烂的果实。总之，中华优秀传统文化是“根”，马克思主义是“魂”，我们必须在探索中国特色社会主义的伟大实践中筑“根”固“魂”。

三、中国共产党人对中国特色社会主义的不断探索

恩格斯在《发展》中揭示了资本主义社会的基本矛盾，论证了社会主义替代资本主义的历史必然性。由此可知，社会主义是资本主义生产方式固有矛盾发展的必然结果，是无产阶级与资产阶级之间阶级斗争的必然产物。而中国共产党人对中国革命、建设和改革历程的探索，也在一定程度上证明了中国选择社会主义道路的必然性。

中国特色社会主义不是与生俱来的，而是形成于一代又一代共产党人的艰辛探索之中。习近平总书记曾强调：“中国特色社会主义不是从天上掉下来的，而是在改革开放40年的伟大实践中得来的，是在中华人民共和国成立近70年的持续探索中得来的，是在我们党领导人民进行伟大社会革命97年的实践中得来的……得到这个成果极不容易。”[②]在新民主主义革命时期，以毛泽东同志为核心的第一代党中央领导集体在思想认识上实现了第一次飞跃，形成了毛泽东思想，毛泽东思想科学地回答了中国社会的性质以及中国革命的对象、动

① 习近平：《在哲学社会科学工作座谈会上的讲话》，《人民日报》2016年5月19日，第2版。

②《习近平在学习贯彻党的十九大精神研讨班开班式上发表重要讲话强调 时代是出卷人 我们是答卷人 人民是阅卷人》，《人民日报(海外版)》2018年1月6日，第1版。

力和任务等一系列重要问题。进入社会主义建设新时期，特别是经过40多年的改革开放，我们党的思想认识又出现了第二次飞跃，构成了中国特色社会主义理论体系。以邓小平同志为核心的党中央总结了我国社会主义建设的历史经验，创造性地回答了“什么是社会主义、怎样建设社会主义”的重大问题，形成了邓小平理论。以江泽民同志为核心的党中央深入阐释了“建设什么样的党、怎样建设党”的重要现实问题，形成了“三个代表”重要思想。以胡锦涛同志为总书记的党中央全面阐述了“实现什么样的发展、怎样发展”的重大问题，形成了科学发展观。党的十八大以来，以习近平同志为核心的党中央顺应时代发展潮流，系统地回答了在新时代“坚持和发展什么样的中国特色社会主义、怎样坚持和发展中国特色社会主义”这个重大课题，形成了习近平新时代中国特色社会主义思想。

总之，在一代又一代中国共产党人的接力领导下，中国从站起来、富起来到强起来，这种转变与飞跃证明了我国选择社会主义道路的正确性。实践发展与解放思想永无止境，发展中国特色社会主义仍然是一项长期而艰巨的任务，需要中国共产党人领导全国各族人民统揽伟大斗争、伟大工程、伟大事业、伟大梦想，继续推进中国特色社会主义的实践探索。

四、习近平新时代中国特色社会主义思想指导中华民族伟大复兴

马克思、恩格斯的科学社会主义思想，为中国特色社会主

义建设提供了理论指导，对推进习近平新时代中国特色社会主义思想指导中华民族伟大复兴具有重要的启示。习近平新时代中国特色社会主义思想既将科学社会主义作为理论基础，使其具有明显的时代特征，促进科学社会主义实现新的发展，又是实现中华民族伟大复兴的指导思想和行动指南。

从理论维度看，恩格斯在《发展》中运用唯物史观和剩余价值学说深入考察人类社会，揭示了人类社会发展的一般规律，指明了人类社会发展的必然趋势。习近平总书记既继承了前人分析人类社会历史发展规律的基本原理和科学方法，又以发展的视野深化了人类社会发展规律、社会主义建设规律、共产党执政规律等认识，提出了一系列具有创新意义的战略思想，对科学社会主义理论作出了独特的贡献，为实现中华民族伟大复兴提供指导思想。

从现实维度看，当前世界处于百年未有之大变局，当今中国正处于改革开放的深化期，国际与国内的形势正发生着深刻复杂的变化，我们面临的困难、挑战、机遇纷至沓来。习近平总书记以非凡的理论勇气、高超的政治智慧，聆听时代的声音，回应时代的课题，在改革发展、内政外交、治国理政等诸多方面提出重要论断，形成了习近平新时代中国特色社会主义思想。在习近平新时代中国特色社会主义思想的引领下，我们党立足整体，统筹国内国际"两个大局"，统筹中华民族伟大复兴各个阶段，引导全国各族人民保持高昂精神，努力实现"两个一百年"奋斗目标。总之，习近平新时代中国特色社会主义思想体现了全国各民族的梦想和追求，凝聚着全体中华儿女的美好生活愿景。

“中国的昨天已经写在人类的史册上，中国的今天正在亿万人民手中创造，中国的明天必将更加美好。全党全军全国各族人民要更加紧密地团结起来，不忘初心，牢记使命，继续把我们的人民共和国巩固好、发展好，继续为实现‘两个一百年’奋斗目标、实现中华民族伟大复兴的中国梦而努力奋斗！”①

知识链接

★“两个一百年”奋斗目标★

党的十五大报告首次提出“两个一百年”奋斗目标：“到建党一百年时，使国民经济更加发展，各项制度更加完善；到世纪中叶建国一百年时，基本实现现代化，建成富强民主文明的社会主义国家。”此后，党的十六大、十七大以及十八大都对“两个一百年”奋斗目标作出了强调与部署。2017年，党的十九大报告规划了全面建成社会主义现代化强国的路线图：在2020年全面建成小康社会、实现第一个百年奋斗目标的基础上，再奋斗15年，于2035年基本实现社会主义现代化；从2035年到本世纪中叶，在基本实现现代化的基础上，再奋斗15年，把我国建成富强民主文明和谐美丽的社会主义现代化强国。

延伸阅读

（1）习近平：《在纪念马克思诞辰200周年大会上的讲话》，《人

① 习近平：《在庆祝中华人民共和国成立70周年大会上的讲话》，《人民日报》2019年10月2日，第2版。

民日报》2018年5月5日，第2版。

(2)《习近平新时代中国特色社会主义思想学习纲要》，北京：学习出版社、人民出版社，2019年。

(3)《习近平关于“不忘初心、牢记使命”重要论述选编》，北京：党建读物出版社、中央文献出版社，2019年。

深度思考

(1) 唯物史观对我国社会主义现代化建设具有哪些重要的借鉴意义？

(2) 在日常生活中我们可以通过哪些方式和手段增强中国特色社会主义理论自信？

(3) 重读《发展》对于我们树立中国特色社会主义理论自信有何帮助？

后　记

从空想到科学，从理论到实践，从运动到制度，社会主义在不断发展和演进中取得了丰富的成果。回望19世纪40年代，为找到无产阶级呼唤反映自身利益的科学理论，马克思和恩格斯在考察资本主义社会的基础上，积极投身于无产阶级革命运动实践，批判继承了德国古典哲学、英国古典政治经济学和英法空想社会主义，创立了唯物史观、剩余价值理论，从而实现了社会主义从空想到科学的伟大飞跃。习近平总书记在纪念马克思诞辰200周年大会上的讲话中指出："马克思创建了唯物史观和剩余价值学说，揭示了人类社会发展的一般规律，揭示了资本主义运行的特殊规律，为人类指明了从必然王国向自由王国飞跃的途径，为人民指明了实现自由和解放的道路。"身处新时代，以新的视角解读《社会主义从空想到科学的发展》，重温社会主义从空想到科学的发展历程，追寻中国特色社会主义的原点，将有利于进一步增强坚持和发展中国特色社会主义的道路自信、理论自信、制度自信、文化自信。为此，红旗出版社组织编写的"大家写小书·马恩经典著作新读"系列丛书，是适用于广大干部、群众深入学习和领会经典著作的读物，笔者承担《科学社会主义的入门——〈社会主义从空想到科学的发展〉新读》一书的撰写工作。

本书能够得以顺利完成，主要得益于前期对写作思路、写作逻辑和写作内容的考量以及后期对内容进行的多次修改整理。本书由同济大学马克思主义学院教授徐蓉确定写作框架并组织编写，张琪、周璇、王潇、陈振媚等同志参与了本书的资料收集、写作和审校工作。

在本次写作过程中，团队成员均获得成长并受益匪浅。除了来自经典文本和网络资源的写作材料外，团队成员还得到了书中提及的专家学者的观点的启发，在此表示感谢。同时，衷心感谢红旗出版社领导和编辑对此书的认真审稿。编写过程中，由于时间精力和能力水平有限，本书或有纰漏，恳请读者批评指正。

徐蓉

2020年3月